Dedicado a:

_____

Por:

_____

Fecha:

_____

DESCUBRA SU PROPÓSITO Y SU LLAMADO EN DIOS

DESCUBRA SU PROPÓSITO Y SU LLAMADO EN DIOS

GUILLERMO MALDONADO

GM INTERNATIONAL

Nuestra Visión

Alimentar espiritualmente al pueblo de Dios por medio de ense-
ñanzas, libros y predicaciones; así como, expandir la palabra de
Dios a todos los confines de la tierra.

Descubra su propósito y su llamado en Dios

ISBN: 1-59272-037-4

Segunda edición 2004

Portada diseñada por:
GM International - Departamento de Diseño

Categoría
Liderazgo Personal - "El Llamado de Dios"

Publicado por:
GM International
13651 SW 143 Ct., #101
Miami, FL 33186
Tel: (305) 233-3325 - Fax: (305) 233-3328

Impreso por:
GM International, EUA
Impreso en Colombia

Índice

Dedicatoria

*D*edico este libro a toda la Iglesia "El Rey Jesús" que ha entendido la revelación del Espíritu Santo, que cada día se prepara para cumplir el llamado de Dios en su vida y que está a la expectativa de un nuevo avivamiento, dándole libertad al Espíritu Santo para que haga como Él quiera; que sabe pelear la buena batalla y no se rinde.

Y a todos aquellos que, sin importar las circunstancias, dicen:

"¡Heme aquí, Señor, envíame a mí!"

Agradecimientos

Quiero agradecer a Dios primeramente, de quien soy y a quien sirvo, por darme fuerzas y ayudarme en todos mis caminos; a mi esposa y a mis hijos que son mi apoyo incondicional y quienes comparten conmigo este ministerio.

También, quiero expresar mi agradecimiento a cada una de las personas, que de una u otra forma, han hecho posible la elaboración de este libro. Desde los que oran, hasta los que han participado en los detalles más pequeños; a todos ellos, muchas gracias y que Dios les bendiga.

Prólogo

El Pastor y Apóstol Guillermo Maldonado es un hombre con un ministerio carismático ataviado de dones del Espíritu Santo y el poder de Dios.

Es un hombre con una amplia visión para la edificación del cuerpo de Cristo y la consolidación, sanidad interior y liberación de los creyentes.

Dios le ha llamado para traer a su pueblo la palabra fundamental y específica que éste necesita.

Este libro trata magistralmente del Llamado de Dios y los secretos para ser efectivos en el mismo. Cubre temas tan olvidados por la Iglesia, como los dones del Espíritu Santo y la persona del Santo Consolador.

El lector disfrutará cada página y cada tema. Estoy seguro de que su vida espiritual será grandemente edificada. Usted nunca más será el mismo.

Éste es un libro que todo líder cristiano debe leer y tener en su biblioteca.

Rony Cháves
Apóstol y Profeta de Jesucristo

Introducción

*T*oda la creación declara la gloria de Dios, en cada pequeña flor o enorme montaña podemos ver reflejada la gloria y la magnificencia de su creador; y de la misma manera, nosotros, siendo creación divina, fuimos diseñados para mostrar la gloria de Dios. Pero, entre cualquier cosa creada y nosotros, existe una gran diferencia, algo que nos hace especial frente al resto de la creación, y es que el ser humano es el único ser creado a imagen y semejanza de Dios; el único al que se le otorgó el privilegio de poder "hablar" con su Creador; el único al que Dios le otorgó la facultad de elegir si llevar a cabo su llamado o no. Y esto último es el propósito de este libro.

Antes que naciéramos, ya Dios tenía un plan diseñado para cada uno de nosotros, que va de acuerdo con el propósito de Dios para la humanidad entera; ese plan es lo que nombraremos "el llamado", y es lo que llevará nuestras vidas al desarrollo máximo de su potencial. En este punto, es donde entra nuestra voluntad a cumplir su rol; es decir, está en nosotros la facultad de escoger si queremos buscar, conocer, aceptar y seguir "el llamado" de Dios en nuestras vidas. Desafortunadamente, no todos lo siguen; algunos porque no lo conocen, otros porque no se sienten capaces y otros porque ni siquiera saben que lo tienen.

Este libro tiene el propósito de presentarle y darle a conocer a usted este maravilloso misterio de Dios, reve-lado a sus hijos por medio de su Palabra; ponerle a su disposición conceptos y significados para que usted aprenda lo que es "el llamado", cuál es el suyo, cómo buscarlo y reconocerlo cuando lo encuentre. Mediante este libro, también queremos capacitarlo para que pueda hacerse "uno" con su llamado, y además, adiestrarlo en el proceso que lleva a un cristiano a posicionarse en el mismo centro de "el llamado" de Dios para su vida. Asimismo, podrá reconocer los dones con que Dios lo ha dotado para ser capaz de desarrollar ese "llamado".

Cuando usted esté posicionado en "su llamado", sentirá su vida plena, llena de significado, sentirá una vitalidad y paz incomparables y un fuego que lo llevará a realizar lo que nunca antes se hubiera imaginado que fuera capaz de hacer; y al mismo tiempo, usted sabrá que está parado en el centro de la voluntad de Dios para su vida; ya no tendrá dudas acerca de para qué Dios lo trajo a este mundo. Cada mañana, al despertarse, sabrá exactamente qué hacer con su día, porque Dios ya se lo diseñó.

"Lo que usted ama es un indicio o una llave que le permite saber hacia dónde está dirigido su llamado".

CAPÍTULO I

☙☙☙

El llamado de Dios

☙☙☙

¿Cuál es mi llamado?

*P*or qué vine a esta tierra? ¿Cuál es la voluntad de Dios para mi vida? ¿Cuál es el propósito de Dios para mi vida? ¿Por qué estoy en esta tierra? ¿Cuál es mi destino? ¿Cuál es mi potencial? ¿Cuál es mi pasión? Éstas y otras preguntas son las que se hacen millones de creyentes alrededor de la tierra. Para poder responderlas, es necesario saber qué es un llamado.

¿Qué es un llamado?

Viene del término griego *"kaleo"* y se usa para convocar o invitar. Otros sinónimos de esta palabra son: propósito, potencial, pasión, voluntad de Dios, destino, don, talento.

"15Pero cuando agradó a Dios, que me apartó desde el vientre de mi madre y me llamó por su gracia..." Gálatas 1.15

Con base en la definición anterior, podemos decir que el llamado de Dios es una invitación que Él nos hace para que vivamos según Su voluntad durante nuestra permanencia en la tierra. Es una invitación para que cumplamos con nuestro destino, mediante el desarrollo del potencial que hay en nosotros. El llamado es el destino que Dios tiene para nuestra vida, y es el propósito original para el cual fuimos creados. Cada vez que Dios hace un llamado a nuestra vida es una invitación a cumplir nuestro propósito; es una invitación para cumplir su voluntad.

"¹Yo pues, preso del Señor, os ruego que anden como es digno de la vocación con que fuisteis llamados". Efesios 4.1

Es interesante que la palabra **vocación** también signifique carrera o profesión; así como hay profesiones de maestro, médico y abogado, se puede decir que las oficinas de após- tol, profeta, maestro, evangelista y pastor son profesiones; con la diferencia, que estas vocaciones no las busca uno mismo, sino que Dios es el único quien hace el llamado para ejercerlas. Hay un sinnúmero de dones y llamados de Dios, los cuales estudiaremos detalladamente más adelante para que podamos descubrirlos en nuestra vida. Teniendo en cuenta que el llamado no es nuestra decisión, sino nues- tro descubrimiento.

El verdadero éxito de una persona consiste en:

1. Conocer el propósito o llamado de Dios para su vida.
2. Desarrollar ese llamado de Dios al máximo.
3. Dejar un legado en la tierra por medio de ese llama- do.

Si usted no es feliz haciendo lo que hace, esto significa que lo que está haciendo no es su llamado. Cuando una per- sona hace algo y se siente contenta y realizada al hacerlo, es porque ése es su llamado. Otra manera de decir esto es: su llamado está dirigido hacia donde está dirigida su pa- sión. Por ejemplo, cuando el llamado de un creyente es la música, su pasión, su anhelo y su deseo serán cantar o tocar algún instrumento para alabar y adorar al Señor; por consiguiente, ése es su llamado.

Lo que usted ama es un indicio o una llave que le permite saber hacia dónde está dirigido su llamado.

Por ejemplo, hay personas que tienen pasión por ayudar en cualquier área, ya sea enseñar, cuidar a los niños o predicar, pasión por las misiones, por los negocios, por la medicina o por los pobres, y cualquiera que sea nuestro llamado, ya sea natural o espiritual, sólo tendremos paz en nuestro corazón cuando estemos realizándolo en la perfecta voluntad de Dios. Nunca estaremos satisfechos si estamos haciendo otra cosa que no sea Su voluntad. Por eso, es que vemos muchos hombres de Dios frustrados y mucha insatisfacción en el pueblo de Dios, porque están haciendo su propia voluntad y no la de Dios; por eso, es importante conocer nuestro llamado. Pero lamentablemente, en este momento, hay muchas tumbas llenas de personas que murieron sin haber cumplido el propósito de Dios en sus vidas.

Una señal de madurez en un creyente se puede observar cuando empieza a preocuparse, a indagar, a buscar el llamado y el propósito de Dios para su vida. Cuando deje de pedir cosas materiales para pedir por la voluntad de Dios en su vida, todas las cosas le serán añadidas.

Recordemos que otro sinónimo de llamado es propósito; veamos qué significa.

¿Qué es propósito?

Es la intención original para lo cual Dios creó algo. Es decir, antes de Dios crear todas las cosas, Él ya les había dado un propósito. Siempre existe un propósito para todo lo creado por Dios.

Dios no lo escogió a usted cuando su papá y su mamá decidieron estar juntos íntimamente, sino porque Él tiene un propósito con usted; y ellos disfrutaron la experien- cia, obedeciendo el propósito de Dios. ¡Usted no es un accidente! Recuerde que vino a este mundo porque Dios lo escogió para realizar un plan divino en su vida. Si cada uno de nosotros obedece a Dios en su llamado, no habrá ningún obstáculo que detenga nuestro propósito.

"8Jehová cumplirá, su propósito en mí; tu misericordia, oh Jehová, es para siempre; no desampares la obra de tus manos". Salmos 138.8

Ilustración: Hay personas que tuvieron grandes accidentes y se salvaron milagrosamente, porque Dios no había terminado con ellos. Como dije antes, si obedecemos a Dios, Él cumplirá su propósito en nosotros.

Dios primero diseña algo y lo termina en su mente, para luego, darle forma con sus manos. Por eso, cuando Él empieza algo, es porque en su mente y en su corazón ya lo terminó. La Biblia le llama a Dios el Alfa y el Omega, el principio y el fin.

Veamos lo que nos dice la Palabra al respecto.

"8Acordaos de esto y avergonzaos. ¡Volved en vosotros, rebeldes! 9Acordaos de las cosas pasadas desde los tiempos antiguos, porque yo soy Dios; y no hay otro Dios, ni nada hay semejante a mí, 10que anuncio lo por venir desde el principio, y desde la antigüedad lo que aún no era hecho; que digo: Mi plan perma-necerá y haré todo lo que quiero..." Isaías 46.8-10

"6estando persuadido de esto, que el que comenzó en vosotros la buena obra la perfeccionará hasta el día de Jesucristo". Filipenses 1.6

Si Dios comenzó cambios en su vida, en su familia y en su ministerio, es porque ya los terminó en su mente. Jesucristo no murió hace dos mil años, Jesús fue inmolado antes de la fundación del mundo. (El hecho de que Dios haya empezado la obra en nosotros, es una señal que Él, en su mente, ya nos terminó). Él ya nos dio un propósito, y lo que nos llevará a cumplir ese propósito, es la obediencia. En síntesis, podemos decir, que antes que Dios nos creara, Él nos dio un propósito o llamado.

¿Cuál fue el caso de Jeremías?

"4Vino, pues, palabra de Jehová a mí, diciendo: 5«Antes que te formara en el vientre, te conocí, y antes que nacieras, te santifiqué, te di por profeta a las naciones". Jeremías 1.4, 5

En otras palabras, Dios le está diciendo: "Antes que tu padre y tu madre estuvieran juntos íntimamente, yo soplé aliento de vida en ti y te di un propósito". Todo ser humano tiene un propósito, y nuestro trabajo es buscarlo y responder a la invitación que Dios nos hizo para cumplirlo aquí en la tierra. Hay muchas personas que se suicidan pensando que Dios no les ama y que ellos no sirven para nada. Otros viven en la depresión, porque creen que no tienen ningún propósito por el cual vivir, pero yo hoy le tengo una buena noticia. Dios no le hubiese creado si antes no le hubiese dado un propósito. Usted tiene algo por qué vivir, algo por qué pelear y seguir adelante.

El llamado es dado por Dios

"⁴Y nadie toma para sí esta honra, sino el que es llamado por Dios, como lo fue Aarón". Hebreos 5.4

La palabra de Dios le llama honra al llamado, y éste no lo hace un hombre, una organización o la familia, tampoco se hereda; es una honra dada por Dios. Nadie se puede llamar a sí mismo pastor, apóstol, evangelista o cantante, sino que es Dios quien hace el llamado. Hay muchas personas que se llaman y se envían solas, y entran en el ministerio por razones equivocadas, tales como: fracasaron en la vida secular, desean ganar dinero, buscan fama o sirven en el llamado porque lo heredaron y el llamado no es algo que se hereda, sino que viene de Dios.

¿Cómo podríamos describir a una persona que tiene un llamado de Dios?

"⁹Por eso dije: ¡No me acordaré más de él ni hablaré más en su nombre! No obstante, había en mi corazón como un fuego ardiente metido en mis huesos. Traté de resistirlo, pero no pude". Jeremías 20.9

Jeremías lo describe como un fuego que está metido en sus huesos, como una pasión que no lo dejaba dormir ni estar tranquilo hasta que no hace algo por su llamado. Así mismo le ocurre a cualquier persona que tiene un llamado de Dios, siente un fuerte deseo, una fuerte pasión o un fuego, que si no hace algo al respecto, siente que se muere. Por ejemplo, está la pasión por ganar almas, por hacer discípulos y enviarlos. Yo sentía esto desde que empecé a predicar la Palabra, y ha sido algo que no me permite dejar de trabajar con todo lo que tenga que ver con este propósito. Siempre he sentido una gran pasión de ver a las personas ser salvas, a los enfermos sanarse y a los opri-midos por el diablo ser liberados. Esa pasión no vino de mí, sino de Dios; por eso, cuando yo dejo de predicar, me desespero, y ese mismo sentir lo experimentan aquellos que tienen un llamado y no lo practican.

Hay tres tipos de llamado:

1. El llamado general

Es aquel que debe llevar a cabo todo cristiano; es la voluntad general de Dios para todo su pueblo, para llevar a cabo sus planes y sus propósitos. Hay ciertas normas que Dios ha establecido y que cada creyente debe hacer. Por ejemplo: evangelizar, interceder, dar y servir. Todos los creyentes estamos llamados a hacer todas estas cosas, pero no necesariamente son nuestro llamado personal. El llamado general en el Señor es hacer cualquier cosa dentro y fuera de la iglesia. Como mencionamos anteriormente, el evangelizar y el discipular a otros, es un llamado para todos los creyentes.

"15Y les dijo:—Id por todo el mundo y predicad el evangelio a toda criatura". Marcos 16.15

2. El llamado especial

Es la voluntad especial de Dios para un individuo, en la cual se le da unción, autoridad y habilidades especiales para cumplirlo. Cuando hemos fracasado en cumplir con el llamado general de Dios, no se nos puede dar el llamado especial. "Si usted no sabe cantar en la ducha primero, Dios no le puede poner a cantar en la plataforma". Cada creyente debe empezar haciendo y cumpliendo la voluntad y el llamado general de Dios, y cuando es fiel en esto, entonces Dios le va a mostrar su llamado especial. El llamado especial es dado a nuestra vida por el Señor después de cumplir el llamado general.

3. El llamado específico

Es el llamado que Dios nos hace para servirle en un área específica. Éste va más allá de los dos primeros llamados, porque no sólo debimos haber cumplido con el llamado general sino también, con el especial, para que luego se nos dé el llamado específico. En mi caso, por ejemplo, fui evangelista por nueve años, y después de ser fiel como evangelista, entonces Dios me llamó al pastorado, y cuando fui fiel como pastor y maestro, Dios me llamó al apostolado que es mi llamamiento específico. Podemos tomar como ejemplo el caso del apóstol Pablo, el cual tenía un llamado especial y específico para predicar a los gentiles o a los judíos.

"[13]Hablo a vosotros, gentiles. Por cuanto yo soy apóstol a los gentiles, honro mi ministerio..." Romanos 11.13

Dios está buscando hombres y mujeres de cada tribu, de cada raza, ciudad, nación, que cuando Él los llame, digan: "heme aquí Señor", "Sí, Señor, yo iré". A lo mejor, Dios está buscando alguno de su familia y usted sea esa persona. El llamado de Dios es tan maravilloso, que la edad no es un problema, el sexo no es un problema, el intelecto no es un problema; lo único que Dios quiere es que le digamos: "sí, aceptamos la invitación a cumplir tu propósito y tu voluntad para llegar a nuestro destino". Dios se limitó a sí mismo cuando escogió, desde un prin-cipio, no hacer nada en la tierra por sí solo, sin la parti-cipación del hombre. Por eso, Dios no escogió a los ángeles para cumplir sus planes y sus propósitos aquí en la tierra; Dios escogió al hombre.

"26Entonces dijo Dios: «Hagamos al hombre a nuestra imagen, conforme a nuestra semejanza". Génesis 1.26

Es un gran privilegio y honra para nosotros los seres humanos, recibir una invitación del Dios altísimo para colaborar con Él y para cumplir Su voluntad y Sus propósitos. Por eso, no podemos rechazar esa invitación; tenemos que aceptarla y ser parte de todo lo que Dios está haciendo en la tierra.

CAPÍTULO II

҈ ҈ ҈

La Ley del Proceso

҈ ҈ ҈

"14...pues muchos son llamados, pero pocos escogidos".
Mateo 22.14

$\mathcal{E}$ n el capítulo anterior, vimos que cada creyente tiene un llamado, un plan en su vida y que fue creado con un propósito divino. Pero, no se puede dejar a un lado que hay un tiempo en el cual Dios nos prepara. Esto es un proceso que todo hombre y mujer de Dios ha pasado y no hay escape. Algunas veces, ciertas personas saltan el proceso y, como resultado, fracasan. Hay un proceso entre ser llamado y ser enviado. Hay personas que verdaderamente tienen un llamado genuino de Dios, pero el tiempo del llamado no es el mismo tiempo de ser enviado. Entonces, ¿cuál es el proceso que un hombre y una mujer tienen que pasar cuando Dios los llama a su servicio? Existe una ley llamada "la ley del proceso"; cuando Dios tiene un plan y un propósito con un indi-viduo, para cumplirlo y llevarlo al final, tiene que pasar por la ley del proceso; porque aquel que intente saltar el proceso, Dios lo enviará de regreso al punto de partida. ¿Cómo empieza esta ley del proceso?

1. *Dios te llama*

Como decíamos anteriormente, Dios es el único que hace el llamado; no es la organización ni es el hombre. Hay muchas personas que se han llamado y se han puesto a sí mismas en alguna oficina ministerial, y por eso, han fracasado. Veamos lo que dice la Palabra.

"⁴Y nadie toma para sí esta honra, sino el que es llamado por Dios, como lo fue Aarón". Hebreos 5.4

Dios le llama una honra y un privilegio a Su propósito en nuestra vida, teniendo en cuenta que solamente Él puede darlo. Lo único que tenemos que hacer cuando Él nos llame y nos invite a cumplir su llamado es decirle: "sí Señor, heme aquí". El ser llamado por Dios para cumplir Su propósito o Su voluntad, solamente es el principio del proceso; y después de ser llamado, puede tomar años para ser enviado a cumplirlo. Hay muchos que cometen el error de irse en el momento que recibieron el llamado, y por eso, fracasan. ¿Cómo es que Dios llama a un creyente al ministerio para cumplir su propósito?

La Biblia entera nos exhorta que no importa nuestra línea sanguínea, talentos, sexo o estado civil, una vez que hemos aceptado a Cristo como Señor y Salvador, hay un llamado de Dios para cada uno de nosotros; y con ese llamado, viene la capacitación, que es por medio de la unción del Espíritu Santo. Volvamos otra vez a la pregunta: ¿Cómo es que Dios nos llama? Hay diferentes maneras mediante las cuales Dios nos llama, y podemos encontrarlas tanto en el Nuevo Testamento como en el Antiguo Testamento. Dios nos puede llamar por medio de:

- El testimonio interior - Un sentir, un percibir fuerte en nuestro corazón.
- Una visión - Como lo fue el caso de Pablo.
- Un sueño - Dios nos puede dar un sueño y mostrarnos en él nuestro llamado.

- Una profecía recibida personalmente o dada por uno o varios profetas.
- Por medio de una escritura dada por el Señor.
- Una visitación sobrenatural de Dios.
- Una voz audible del Espíritu Santo como lo fue con Samuel.

Dios tiene muchas formas de hablarnos para hacernos el llamado. Nuestra parte es estar dispuestos y listos para contestarle: "¡sí Señor, heme aquí! Hay diferentes llamados dados por Dios en diferentes áreas. No necesariamente todos los creyentes deben tener un llamado ministerial, y esto es: ser un apóstol, un profeta, un evangelista, un pastor o un maestro. Hay un sinnúmero de dones y llamados dados por Dios que no necesariamente son llamados de púlpito. Mi consejo es que debe estar atento, para que cuando Dios lo llame, pueda oír su voz y usted pueda responderle.

Podemos concluir que Dios es el único que da el llamado y que no podemos llamarnos a nosotros mismos. También, debemos entender que una vez que fuimos llamados por Dios, no es el tiempo de ir a cumplir, sino de prepararnos y esperar para pasar por un proceso que nos llevará al siguiente paso.

2. *Dios te prepara*

La etapa de la preparación comienza después que hemos recibido el llamado. Ahora bien, entra el proceso de la preparación que es muy importante para que cumplamos su propósito de una forma efectiva.

La calidad de su preparación va a determinar la calidad de su desempeño en el futuro.

El proceso de la preparación no es un tiempo perdido, sino un tiempo invertido. Es en el proceso de la preparación para el llamado, donde Dios trata profundamente con nuestra vida. Durante este tiempo, Dios nos hace morir a nuestras propias ambiciones, orgullo y egoísmo. En el ámbito secular, hay un territorio militar que se llama: "Booth camp". Éste es un adiestramiento riguroso que todo soldado debe pasar, para aprender a manejar el fusil en la guerra.

¿En qué áreas necesitamos ser preparados?

- **En nuestro carácter**

  Dios tiene que cambiar nuestra manera de pensar y de actuar. Dios tiene que cambiar y suavizar nuestro carácter, romper áreas de nuestra vida, como lo son: la ira, la inseguridad, los temores, los celos, la envidia, la impaciencia y el orgullo. Dios tiene que cambiarnos y hacer lo mismo que hace un alfarero: moldearnos a su imagen. El propósito de Dios es que después de la preparación, salga el carácter de Cristo, que incluye: la bondad, el amor, la paciencia, la misericordia, la fe y la compasión. ¿Por qué razón Dios hace esto? Porque cuando estemos en el pleno desarrollo del llamamiento, nuestro carácter puede llegar a destruir todo aquello que hemos construido si el carácter de Cristo no está en nosotros; y además, para que no causemos heridas a su pueblo. Un líder que no ha pasado por el proceso de preparación puede llegar a herir a muchas personas.

¿Cómo Dios realiza este proceso?

Nos hace pasar por circunstancias, crisis, pruebas, adversidades, humillaciones, críticas, rechazo, ofensas, traiciones y menosprecio de la gente. Todo esto ocurre, y Dios lo permite, para formar nuestro carácter u hombre interior. También, Dios forma nuestro carácter a través de la enseñanza de la palabra de Dios.

* **En nuestro carisma** (dones y talentos)

Todo creyente debe conocer, no sólo su llamado general, sino su llamado específico, y si no lo conoce, debe empezar a buscarlo hasta descubrirlo. Una vez que lo encuentre, debe desarrollarlo, crecer en ese propósito y moverse en ese llamado. Algunas veces, sabemos cuál es el don y el talento que tenemos, pero necesitamos aprender el cómo desarrollarlo y ministrarlo al pueblo.

¿Cuáles son los medios que Dios usa para prepararnos en el carisma? (dones y talentos)

Dios nos puede enviar a un instituto bíblico para que recibamos instrucción bíblica en todo el consejo de Dios; además, nos puede enviar mentores, pastores o maestros para que nos enseñen la Palabra y nos la modelen. Dios no nos puede enviar a dedicarnos exclusivamente al ministerio si no estamos preparados o adiestrados en la Palabra. En esta etapa, Dios nos prepara, no solamente en nuestro carácter como personas, sino también en nuestros dones, mediante el conocimiento de la Palabra.

"15Procura con diligencia presentarte a Dios aprobado, como obrero que no tiene de qué avergonzarse, que usa bien la palabra de verdad". 2 Timoteo 2.15

Hay muchas personas que tienen un llamado genuino de Dios. El Señor las llamó, ellas han encontrado el llamado, creen que es tiempo de irse, pero en realidad, es tiempo de estar detrás de las cortinas donde nadie las ve. Dios las aparta de la vista pública, porque tiene que formar su carácter, tiene que enseñarlas y adiestrarlas para que sean personas guerreras.

Hay un proceso que cada creyente tiene que pasar, y si trata de saltarlo o brincarlo, Dios lo va a devolver al principio.

La preparación, algunas veces, incluye tareas que a usted no le gusta hacer. Por ejemplo: lavar los baños, cuidar niños o parquear carros; pero Dios lo lleva por estas tareas o labores para que ejercite primero su llamado general, y después que esté listo, pueda ejercer el llamado específico. Es necesario pasar primero por un proceso de prepa-ración para que, luego, pueda llegar a ser efectivo en el llamado o en el ministerio.

¿Cuánto tiempo dura la preparación?

Desde que Dios nos llama hasta que Él nos envía y aparta para su obra, el tiempo de preparación dependerá de tres condiciones. Éstas son:

a. Obediencia
b. Compromiso
c. Fidelidad

Si nuestra obediencia a Dios es incondicional, si nuestro compromiso es genuino y por largo tiempo, si amamos la obra de Dios y damos la vida por ella, y si somos fieles al llamado, teniendo en cuenta que la palabra fiel significa que somos dignos de confianza, que Dios puede depender de nosotros, que todo lo que Él nos pone a hacer lo hacemos de continuo y no dejamos botados los ministerios, sino que permanecemos hasta el final, entonces, Dios nos promociona para ser enviados. Usted es quien determina cuál será el tiempo de preparación. Si obedece, si se compromete con Su llamado y le es fiel a Dios, Él le enviará pronto y el tiempo se acortará. Si en el proceso de preparación le permitimos al Señor que nos moldee y nos cambie el carácter, entonces el tiempo se puede acortar.

Dios no va a esperar que usted sea una persona perfecta para enviarlo, pero sí que sea maduro espiritualmente para que no resulte una piedra de tropiezo y cause vergüenza al nombre de Jesús.

¿Qué hacer mientras Dios me envía?

Mientras estamos siendo preparados por Él, hagamos y sirvamos en todo lo que esté a nuestro alcance.

"¹⁰Todo lo que te venga a mano para hacer, hazlo según tus fuerzas, porque en el Seol, a donde vas, no hay obra, ni trabajo ni ciencia ni sabiduría". Eclesiastés 9.10

En este período, puede predicar, enseñar y hacer muchas actividades, incluso servir en departamentos que no le gustan, para que cuando ejerza su llamado, pueda aplicar todo lo que aprendió. El período de preparación puede ser breve o prolongado. Eso lo determina Dios, su obediencia, su compromiso y su fidelidad al llamado. A continuación, veremos algunos ejemplos del tiempo de preparación de diferentes personajes bíblicos. Cada uno de ellos tuvo que pasar por la ley del proceso: ser llamados, ser preparados, ser separados, y finalmente, ser enviados. Cuando cum-plimos con el proceso que Dios nos ha trazado, seremos efectivos en nuestros ministerios.

En la tabla siguiente, podremos comparar el proceso de preparación de algunos hombres de Dios y, finalmente, el resultado que obtuvieron.

Hombres de Dios	Tiempo de Preparación	Llamado Final
Moisés	40 años en el desierto	Libertador del pueblo judío
José	17 años en una prisión	Al palacio como gobernador
Josué	40 años en el desierto	Capitán del ejército de Dios
Jesús	30 años de rechazo	Rey de Reyes
Pablo	17 años de soledad	Apóstol de los gentiles
David	15 años de persecución /rechazo	Rey de Israel

A Dios le tomó mucho tiempo formar a estos hombres. Hoy día, tenemos personas que porque Dios las usó en sanidad o dándole una profecía a alguien, o predicando bien un mensaje, creen que están listas para ser enviadas y no pasan el proceso; y como resultado, fracasan. Por esa razón, Dios nos habla en su Palabra de no tocar a su ungido, porque Él mismo ha hecho una inversión, un depósito que le ha tomado tiempo, dinero y sacrificio, preparándolo y desarrollándolo. Si usted siente que ya conoce su llamado, propósito, potencial o pasión, no se apresure a tomar decisiones para cumplirlo inmediatamente, sea paciente y espere en Dios, que si usted es obediente, Él cumplirá su propósito en usted.

3. Dios lo separa o lo ordena al ministerio

Cuando el tiempo de preparación ha terminado, entonces Dios lo lleva al siguiente paso que es separarlo, consagrarlo, ordenarlo para Su uso exclusivo, como lo fue en el caso de Bernabé y Saulo. Éste es el momento de ser ungido, y la unción lo respaldará.

"²Ministrando éstos al Señor y ayunando, dijo el Espíritu Santo: Apartadme a Bernabé y a Saulo para la obra a que los he llamado". Hechos 13.2

La palabra **apartadme** significa separación de cosas; implica santidad, separación total para el uso exclusivo de Dios. Dios hace esta separación en una ordenación pública, donde la cobertura espiritual le impone las manos a la persona que ha sido llamada. Esto es un acto de Dios que nos da a conocer que la persona está apartada y separada para Su uso desde ese momento, pero no significa que es el tiempo de dedicarse exclusivamente al ministerio.

Hay dos palabras griegas y hebreas cuando se habla de separación, de apartar y de santificar.

Nazar - Significa separar de.
Kohodesh - Significa separar para.

¿De qué forma Dios nos aparta o separa?

❖ **Dios nos separa (*"nazar"*) o nos aparta del mundo.**

Aquí Dios nos separa **(nazar)** del mundo, nos quita amistades, lugares y cosas que son del mundo. La palabra de Dios nos enseña que el Señor es celoso de su pueblo, y que la amistad con el mundo es enemistad contra Dios. La meta de Dios es que no nos dejemos dar forma por el mundo, que es lo que nos separa de Él, para no hacer lo que los incrédulos hacen.

❖ **Dios nos separa o aparta (*"nazar"*) de las cosas buenas.**

Hay ciertas cosas en nuestra vida que hacemos o tenemos y que amamos más que a Dios, las cuales Él tiene que quitar de nosotros. Estas cosas no son necesariamente malas, pueden ser cosas buenas, pero son un estorbo para nuestra consagración a Dios.

Por ejemplo, Dios me quitó la universidad y el deporte "football soccer". Con esto, no quiero decir que estudiar e ir a la universidad es pecado, al contrario, todos nuestros hijos tienen que estudiar, pues es una algo bueno e importante; pero en mi caso, Dios me apartó, me separó de eso, y lo mismo ocurrió con el "soccer". Ningún deporte es pecado, pero el Señor lo quitó de mi camino, porque me la pasaba más tiempo jugando "soccer" que buscando Su presencia.

❖ **Dios nos separa o aparta (*"kohodesh"*) para Él.**

Ésta es la meta de Dios: separarnos del mundo, separarnos de cosas buenas y malas, que nos quitan el tiempo de estar con Él para apartarnos totalmente para su uso y para Él totalmente. Cada creyente tiene que pasar por el proceso de la separación, porque la meta de Dios es separarlo y apartarlo totalmente para Él.

4. Dios nos envía

Ésta es la etapa y el momento cuando Dios nos desata a servir exclusivamente en el ministerio. Cuando se llega a este punto, ha pasado el tiempo necesario desde el momento en que fuimos llamados por Dios. Éste es el momento donde nuestra cobertura nos envía con su bendición. En esta etapa, la persona ya debe conocer cuál es su llamado, debe estar en el tiempo correcto para ser enviados y debe ir al lugar correcto; y además, ya debe tener un cierto grado de madurez espiritual; es decir, no es ser perfecto, sino que aunque tenga faltas y debilidades, haya logrado tener un cierto grado de madurez espiritual.

¿Cuáles son las características de un hombre o una mujer madura espiritualmente?

1. **Sabe oír la voz de Dios.** Saber oír y obedecer la voz de Dios en todas sus formas; por ejemplo, a través del testimonio interior, de la voz de la conciencia, de la voz del Espíritu Santo, de las Escrituras, de los sueños, entre otros; esto es una señal de madurez espiritual.

   "14Todos los que son guiados por el Espíritu de Dios, son hijos de Dios, 15pues no habéis recibido el espíritu de esclavitud para estar otra vez en temor, sino que habéis recibido el Espíritu de adopción, por el cual clamamos: ¡Abba, Padre! 16El Espíritu mismo da testimonio a nuestro espíritu, de que somos hijos de Dios". Romanos 8.14-16

2. **Está muerto a la alabanza y a la crítica.** Hay algunas personas que les gusta las alabanzas y los halagos de los demás, pero no pueden manejar la crítica. El hijo maduro sabe recibir las alabanzas de otras personas sin que le afecte su corazón con sentimientos de orgullo o vanagloria, sino que sabe darle la gloria a Dios y no la toma para él mismo. De la misma manera, cuando es criticado, no se ofende ni se molesta porque entiende que la crítica es parte de ser un líder exitoso. Cuando describimos a un hijo humilde, una de sus características es que sabe transferir la gloria a Dios, sabe quién es él en Dios y reconoce que todo lo que es y todo lo que tiene proviene de Dios. Por eso, ni la alabanza ni la crítica le afectan.

    "³Digo, pues, por la gracia que me es dada, a cada cual que está entre vosotros, que no tenga más alto concepto de sí que el que debe tener, sino que piense de sí con cordura, conforme a la medida de fe que Dios repartió a cada uno". Romanos 12.3

3. **Es maduro y sabio.** La sabiduría es parte del creyente maduro. Es una persona que sabe aplicar el conocimiento que tiene de la Palabra en su vida diaria. También, sabe identificar la verdadera naturaleza de las cosas visibles o invisibles y encuentra soluciones para ellos.

    La sabiduría es la virtud mayor de una persona que ha alcanzado madurez.

"⁶Sin embargo, hablamos sabiduría entre los que han alcanzado madurez en la fe; no la sabiduría de este mundo ni de los poderosos de este mundo, que perecen". 1 Corintios 2.6

4. **Lleva mucho fruto.** Una manera simple y sencilla de comprobar la madurez de una persona, es por medio del fruto. Un verdadero creyente es maduro cuando se ve que lleva fruto en su vida personal, en su familia, en su manera de conducirse y en el Reino. El fruto es la evidencia más exacta para identificar una persona madura.

"¹⁵Guardaos de los falsos profetas, que vienen a vosotros vestidos de ovejas, pero por dentro son lobos rapaces. ¹⁶Por sus frutos los conoceréis. ¿Acaso se recogen uvas de los espinos o higos de los abrojos? ¹⁷Así, todo buen árbol da buenos frutos, pero el árbol malo da frutos malos. ¹⁸No puede el buen árbol dar malos frutos, ni el árbol malo dar frutos buenos. ¹⁹Todo árbol que no da buen fruto, es cortado y echado en el fuego. ²⁰Así que por sus frutos los conoceréis". Mateo 7.15-20

5. **Conoce su identidad en Cristo.** Una persona madura conoce quién es él en Dios, conoce su propósito y su llamado, sabe cuál es su posición en Dios y no tiene una baja autoestima, sino que ha llegado a conocer su identidad en Cristo Jesús.

6. **No se ofende fácilmente.** Lamentablemente, tenemos que estar lidiando con personas inmaduras en esta vida, que se ofenden por cualquier cosa. Por ejemplo, se ofenden porque no las saludan, porque

no las toman en cuenta, cuando las corrigen, porque no las llamaron cuando estaban enfermas y cuando piensan que no se les aman. Una señal de una persona madura es que no se ofende fácilmente, y si se siente ofendido, perdona con facilidad.

"2Todos ofendemos muchas veces. Si alguno no ofende de palabra, es una persona perfecta, capaz también de refrenar todo el cuerpo". Santiago 3.2

7. **Es prudente en su manera de pensar.** Una de las maneras para llegar a madurar eficazmente como creyente, es a través de la renovación del entendimiento por medio de la palabra de Dios. Es quitar todo lo viejo y sustituirlo por algo de la palabra de Dios en nuestra mente.

8. **Ha desarrollado el carácter de Cristo.** Cuando hablamos del carácter de Cristo, estamos hablando de amor, paz, paciencia, entre otras virtudes. Una persona madura ha desarrollado todas estas virtudes. El amor es notable en una persona cuando es paciente, bondadosa, y está llena de fe.

"22Mas el fruto del Espíritu es amor, gozo, paz, paciencia, benignidad, bondad, fe, mansedumbre, templanza; contra tales cosas no hay ley". Gálatas 5.22

9. **Se sustenta de alimentos sólidos.** Un hijo maduro ya no se conforma con tomar leche, sino que busca comer alimento sólido de la Palabra. Quiere tocar

tópicos más profundos; indaga, busca y se le despierta gran hambre por la Palabra.

"¹⁴El alimento sólido es para los que han alcanzado madurez, para los que por el uso tienen los sentidos ejercitados en el discernimiento del bien y del mal". Hebreos 5.14

10. **Recibe revelación directa de Dios.** Es aquel al cual Dios le revela su Palabra directamente al corazón. Recibe mensajes directos del corazón del Señor. El hijo maduro ha desarrollado un nivel alto de discernimiento entre lo bueno y lo malo, lo justo y lo injusto. Además, sabe tomar lo bueno y desechar lo malo.

11. **Es pronto para oír y tardo para hablar.** Creo que escuchar es un arte que debemos aprender a desarrollar. También, debemos aprender a conocer cuándo hablar, y esto se logra a través de la sabiduría que Dios da.

12. **Honre siempre a sus líderes espirituales.** Una de las características de un hijo (a) maduro (a) es que honra a sus líderes, a su cabeza, a su pastor y a su padre espiritual. ¿Cómo lo hace?

   a. **Con palabras de afirmación.** El hijo siempre está hablando bien de su líder donde quiera que esté y con quien esté.

   b. **Financieramente.** El hijo es agradecido con su mentor o líder. Si en él se siembra lo espiritual, lo eterno, él debe honrar a su líder con finanzas, ofrendas y con cosas materiales.

c. Dándole cuentas. Se somete a su mentor o autoridad, y da cuentas de su vida espiritual, emocional y familiar; también, da cuentas del trabajo que hace para el Señor.

El hijo maduro honra a su líder con su servicio. Sirve a su líder continuamente, y lo hace con gozo y alegría, como lo hizo Eliseo con Elías.

Si usted es un líder que quiere ser bendecido y promocionado por el Señor, debe practicar todos estos principios de honra.

Las características mencionadas anteriormente son algunas que nos ayudan a identificar a un hijo maduro. Si en alguna de ellas usted se encuentra débil, empiece a desarrollarlas. Le animo a que busque y vaya a otro nivel de liderazgo. Algunas preguntas que nos podemos hacer para identificar si somos un hijo maduro son: ¿hemos oído alguna vez la voz de Dios? ¿Preferimos los halagos de las personas o la crítica? ¿Conocemos nuestro llamado o el propósito de Dios para nosotros? ¿Nos ofendemos fácilmente? ¿Oímos primero y hablamos después?

Según la tradición hebrea, ese momento "de enviar" ocurría de la siguiente manera:

"³Entonces, habiendo ayunado y orado, les impusieron las manos y los despidieron". Hechos 13.3

Cuando el hijo cumplía 30 años de edad, se presentaba al padre y en una ceremonia pública, el padre le ponía manos y le decía palabras como éstas: "hoy te entrego tu herencia", "hoy te confío los negocios de tu padre", "yo te envío", "te doy autoridad y responsabilidad para que vayas y levantes tu propio negocio". Si analizamos cuidadosamente estas palabras, nos daremos cuenta que fueron las mismas palabras que el Padre le dijo a Jesús en el Jordán cuando Jesús fue bautizado; también es curioso, que Jesús tenía 30 años cuando comenzó su ministerio.

"16Y Jesús, después que fue bautizado, subió enseguida del agua, y en ese momento los cielos le fueron abiertos, y vio al Espíritu de Dios que descendía como paloma y se posaba sobre él. 17Y se oyó una voz de los cielos que decía: Éste es mi Hijo amado, en quien tengo complacencia". Mateo 3.16, 17

El llamado de Jesús fue confirmado por tres personas: el Padre, el Espíritu Santo y Jesús mismo. ¿Quiénes confirman el llamado que hay sobre una persona?

- **La cobertura espiritual**

  La cobertura puede ser un apóstol, un profeta, un maestro, un evangelista, su pastor o su mentor. Su cobertura confirmará su llamado, y también, cuando esté listo para ser enviado. Este punto es muy importante, ya que el llamado de una persona debe ser confirmado por su autoridad espiritual.

- **El pueblo**

  Después que usted ministre, predique o enseñe, alguien o varias personas se le van a acercar para darle a conocer la bendición que usted fue para sus vidas. No obstante, la mejor señal que confirma su llamado, es la evidencia de los cambios en la vida de las personas y el fruto que éstas comiencen a dar después que usted los haya ministrado.

- **Dios mismo**

El Señor será la señal número uno y Él mismo confirmará su llamado, y lo hará por medio de:

❖ **Un gran respaldo de Él mismo.**

En cualquier área de su ministerio, Dios le respaldará con unción, poder, autoridad, gracia, favor, denuedo, señales, milagros, sanidades, palabras proféticas y más. Un creyente que haya sido llamado, separado, preparado y enviado por Dios, tendrá un respaldo absoluto del Señor donde quiera que vaya y en cualquier circunstancia.

❖ **Dios proveerá financieramente.**

"19Mi Dios, pues, suplirá todo lo que os falta conforme a sus riquezas en gloria en Cristo Jesús". Filipenses 4.19

Yo no entiendo cómo hay creyentes que dicen que Dios los envió a ciertos lugares, pero se están muriendo de hambre. Cuando el llamado es genuino y fue Dios quien lo hizo, la provisión siempre estará ahí para usted. Eso no significa que por un corto tiempo, Dios no nos pruebe con la ausencia de dinero para que aprendamos a usarlo correctamente. Eso sucedió en mi propia vida; fui probado por un tiempo, especial-mente, al principio del ministerio; pero después de ese tiempo, Dios siempre nos ha dado todo en abundancia, y ya somos un ministerio que maneja millones de dólares para su obra. El punto es que si Dios le llamó, Él le proveerá financieramente.

¿Cómo un creyente puede ser enviado de una iglesia local?

Hay dos maneras de ser enviado, y éstas son:

- **Como siervo de la casa** - Se va por su propia cuenta y sin la bendición de la cobertura espiritual. La mayor parte de las veces, los creyentes se van en rebeldía; y esto es muy peligroso, porque si se van en esta condición, fracasarán.

- **Como hijo de la casa** - Cuando pone su agenda a un lado, ha servido a la visión de la iglesia, a los hermanos, al pueblo y ha tomado la visión de la casa como suya; entonces, su cobertura le impone manos y lo envía como un hijo o hija de la casa.

Llegará el día que su cobertura lo llevará al frente de todo el pueblo y será separado y ordenado al ministerio; y finalmente, será enviado con la bendición de

Dios primero, con la bendición de su cobertura y con la bendición del pueblo. Ésta es la manera correcta de hacerlo. La otra forma sería que usted se fuera en su propio nombre, y cuando alguien le pregunte quién es su cobertura o quién lo envió, usted no sepa qué contestar. Jesús siempre dejaba saber que había sido enviado por el Padre, y este mismo principio lo tenemos que aplicar nosotros en nuestra vida. Siempre tiene que haber alguien que respalde o recomiende nuestro ministerio.

La iglesia del Nuevo Testamento es una iglesia **apostólica** con una mentalidad de Vino Nuevo. La mentalidad antigua dice de esta manera: "yo tengo un llamado y me envío solo; yo voy solo y el Señor me respalda", "el Señor me envió y no tengo que estar dándole cuentas a nadie". Este pensamiento es erróneo; por eso, la iglesia apostólica siempre está enviando personas bajo su cobertura. Aún Jesús, siendo Dios, decía todo el tiempo quién lo había enviado.

Hay personas con un llamado genuino de Dios, pero se han enviado solas. ¿Sabía usted que cuando lo envían, tendrá la misma unción del que lo envió?

Entre el momento de ser llamado y ser enviado, es cuando se levantan muchos absalones con ambiciones personales que no desean someterse a nadie. Están de prisa por dedicarse exclusivamente al ministerio; empujan, pisotean al pueblo y causan divisiones en la iglesia. Empiezan su propio grupo en la casa; es decir, usan la familia para empezar a organizarse y, después, terminan causando divisiones y cizaña en la iglesia.

Cada grupo de persona que se reúne en una casa sin la supervisión y sin la cobertura pastoral, son absalones y rebeldes que lo que están buscando, es llenar sus propias ambiciones y cumplir con su propia agenda; no les interesa el reino de Dios. Yo creo en tener y formar células en las casas. Nosotros mismos en nuestro ministerio las tenemos, pero están bajo super-visión de alguien y no han empezado solas.

Como repaso, podemos decir que Dios le llama, le prepara, le separa y le envía; luego, Dios le respaldará con toda su gracia, su favor, y le proveerá las finanzas. Recuerde, para que Dios lo envíe a hacer su obra, usted no tiene que ser perfecto. Lo que Dios desea es un grado de madurez de parte de nosotros; de otra manera, nunca estaríamos listos para servirle.

No todos los creyentes están llamados a ser predicadores, y no todos están llamados a dedicarse exclusivamente a la obra del Señor. Hay un sinnúmero de llamados, y es nuestra responsabilidad descubrir el nuestro.

¿Cuál debe ser nuestra actitud frente al llamado de Dios?

- **Conocer nuestro llamado.** Debemos buscar cuál es la voluntad de Dios para nuestra vida; debemos indagar y preguntar hasta encontrarla. Comience a preguntarse: ¿cuál es mi pasión?, ¿cuáles son mis dones y qué es lo que más me hace feliz?

- **Aceptar el llamado.** Una vez que sabemos cuál es nuestro llamado, debemos hablar con Dios para decirle que aceptamos el llamado y hacer un pacto de servirle. Hay muchas personas que conocen el lla-mado, pero nunca han hecho un pacto con Dios, diciéndole: "Señor, yo acepto ser pastor, evangelista, doctor, músico..."

- **Obedecer el llamado.** Hay momentos en que Dios irrumpe en su comodidad y le pide que deje el trabajo o que acepte el corte de la mitad de su sueldo por servirle a Él. A veces, le puede pedir que le entregue el negocio o que le dé una semana de su sueldo en el mes. Entonces, es ahí donde entra en operación la obediencia.

- **Esperar para ser enviado.** No podemos ser impacientes. Dios dará testimonio a nuestro pastor o a nuestra cobertura espiritual para que nos envíen.

Algunas veces, cuando Dios lo llama, tiene que poner en el altar familia, dinero, casas o lugares, pero eso es parte del llamado de Dios. Hay muchas cosas que pueden parar su llamado, esposo, esposa, familia, trabajo, amigos, pero cuando usted le dice sí a Dios, Él lo respaldará. ¿Está dispuesto a ir? Dios no busca habilidad sino disponibilidad. Cuando Dios nos llama, debemos estar listos para oír su voz, y decirle: "Sí Señor, heme aquí"; además, debemos comenzar a prepararnos en el conocimiento de la Palabra, en nuestro carácter, servir a Dios en el llamado general, o sea, servir en la iglesia a los hermanos y en todo aquello que se nos dé oportunidad. Debemos esperar que nuestra cobertura o mentor nos unja y nos envíe al ministerio. Recuerde, cada creyente debe pasar por la ley del proceso, y en ese caminar, hay que ser pacientes, esperar en Dios, dejarnos moldear nuestro carácter, prepararnos en el estudio y en el conocimiento de la Palabra, para que cuando sea el tiempo de ser enviados, entonces estemos listos y preparados para toda buena obra.

CAPÍTULO III

❧❧❧

Las respuestas y las excusas del hombre frente al llamado de Dios

❧❧❧

*E*s interesante observar que en cada persona hay una respuesta diferente ante el llamado de Dios. No todo el mundo reacciona de la misma forma cuando Dios les hace la invitación a cumplir su voluntad. También, es importante destacar que el hombre y la mujer que aceptan el llamado de Dios en sus vidas, son personas que se sienten realizadas y felices.

¿Cuáles son las actitudes más comunes que presenta el hombre ante el llamado de Dios?

- **La rebeldía** - Algunos toman una actitud de rebelión contra Dios y, como resultado, nunca se sienten realizados. Las personas que se rebelan en contra del llamado de Dios, nunca serán felices.

- **La cobardía** - Otros no se rebelan contra Dios, sino que se acobardan. Piensan que el llamado es muy grande, o tienen temor de decir "sí" a Dios por una u otra razón.

- **La obediencia** - Ésta es la actitud correcta cuando usted conoce y sabe cuál es su llamado. La respuesta al llamado o a la invitación de Dios debe ser: "heme aquí Señor, envíame a mí", como lo fue el caso de Isaías.

"⁸Después oí la voz del Señor, que decía: —¿A quién enviaré y quién irá por nosotros? Entonces respondí yo: — Heme aquí, envíame a mí". Isaías 6.8

Veamos siete excusas que algunos hombres de Dios pusieron frente al llamamiento del Señor y que son las mismas que ponemos hoy día:

1. Considerarse indigno

La primera respuesta de Moisés frente al llamado de Dios fue que él no era digno. Como expliqué anteriormente, algunas veces, nos vemos nuestras faltas y debilidades y creemos que somos indignos de ser llamados para cumplir ese propósito. Veamos el caso de Moisés.

"¹¹Entonces Moisés respondió a Dios: ¿Quién soy yo para que vaya al Faraón, y saque de Egipto a los hijos de Israel?" Éxodo 3.11

Ésta es la misma respuesta que muchos hombres y mujeres dan delante del llamado. Algunos se conside-ran indignos por causa del trasfondo familiar, por el país de donde vienen, por el pasado que tienen y porque no poseen suficiente educación. Recuerde que ninguno de nosotros es digno de ser llamado, pero Jesús nos hizo dignos por su sangre, por su gracia y su favor.

2. Temor al rechazo

"¹Entonces Moisés respondió y dijo: —Ellos no me creerán, ni oirán mi voz, pues dirán: "No se te ha aparecido Jehová". Éxodo 4.1

"⁸No temas delante de ellos, porque contigo estoy para librarte, dice Jehová". Jeremías 1.8

Moisés tenía temor que el pueblo de Israel lo rechazara y no lo escuchara al no saber el nombre específico de Dios. Lo mismo le sucedió a Jeremías. Hoy día, tenemos temor a ser predicadores porque creemos que las personas nos van a rechazar por predicar la palabra de Dios o por el simple hecho de ser creyentes; y ésta es una de las razones por las cuales no obedecemos el llamado de Dios. El rechazo es parte del éxito, y por eso, no todo el mundo nos va a recibir. Algunos nos van a rechazar, pero no podemos excusarnos delante de Dios diciendo que tenemos temor a ser rechazados.

3. La excusa de la incredulidad

"¹Entonces Moisés respondió y dijo: He aquí que ellos no me creerán, ni oirán mi voz, porque dirán: "No te ha aparecido Jehová". Éxodo 4.1

La tercera excusa de Moisés frente al llamado de Dios fue la duda de su llamado. Él pensó que el pueblo de Israel no le iba a oír ni a creer. Cuando Dios pone un llamado sobre su vida, las personas lo escucharán porque usted siempre tendrá algo que decir o un mensaje que dar. Dios le dará la gracia para que las personas lo quieran escuchar y, además, le dará un pueblo al cual hablarle.

En respuesta a las excusas de Moisés, Dios le da tres señales:

- La vara se convierte en serpiente.

  "²Y Jehová dijo: ¿Qué es eso que tienes en tu mano? Y él respondió: una vara". Éxodo 4.2

- Su mano se volvió leprosa.

  "⁶Le dijo además Jehová: Mete ahora tu mano tu seno. Él metió la mano en su seno; y cuando la sacó, he aquí que su mano estaba leprosa como la nieve". Éxodo 4.6

- El agua se convirtió en sangre.

  "⁸—Si aconteciere que no te creyeren ni obedecieren a la voz de la primera señal, creerán a la voz de la postrera. ⁹Y si aún no creen a estas dos señales, ni oyen tu voz, tomará de las aguas del río y las derramarás en la tierra; y se cambiarán aquellas aguas que tomarás del río y se harán en sangre sobre la tierra". Éxodo 4.8, 9

Dios confirmará su llamado con señales convincentes de que Él está con usted y que su llamado es genuino, que no fue una equivocación de un hombre al enviarlo sino que Él mismo lo hizo por medio del hombre. A menudo, Dios le dará señales visibles que confirmarán su llamado. Si usted tiene duda de su llamado, pídale al Señor que le confirme con señales físicas y sobrenaturales, y el Señor lo hará.

4. La excusa de no poder hablar

"¹⁰Entonces dijo Moisés a Jehová: —¡Ay, Señor! Nunca he sido hombre de fácil palabra, ni antes ni desde que tú hablas con tu siervo, porque soy tardo en el habla y torpe de lengua". Éxodo 4.10

"⁶Yo dije: ¡Ah, ah, Señor Jehová! ¡Yo no sé hablar, porque soy un muchacho!" Jeremías 1.6

Tanto Moisés como Jeremías, le dan la excusa a Dios de no saber hablar para no obedecer el llamado, y muchas veces caemos en lo mismo. Por ejemplo, decimos: "no puedo hablar", "no sé cómo pronunciar las palabras ni tengo buen léxico", pero Dios tiene la respuesta para esas excusas.

La respuesta de Dios a Moisés fue:

"¹¹Y Jehová le respondió: ¿Quién dio la boca al hombre? ¿O quién hizo al mudo y al sordo, al que ve al ciego?¿No soy yo Jehová?" Éxodo 4.11

"¹²Ahora, pues, ve, que yo estaré en tu boca y te enseñaré lo que has de hablar". Éxodo 4.12

Dios te está diciendo: "Yo pondré las palabras en tu boca, no te preocupes, por lo que tienes que decir"; y eso mismo hará el Señor con nosotros. Hoy mismo, Él nos dará la gracia y el favor para poder predicar, enseñar y cumplir su llamado.

5. La excusa de inferioridad

"13Y él dijo:—¡Ay, Señor! Envía, te ruego, por medio del que debes enviar. 14Entonces Jehová se enojó contra Moisés, y dijo:—¿No conozco yo a tu hermano Aarón, el levita, y que él habla bien? Y he aquí que Él saldrá a recibirte, y al verte se alegrará en su corazón". Éxodo 4.13, 14

Algunas veces, le sugerimos a Dios que mejor envíe a otro, que en nuestro concepto, está más calificado que nosotros. Otras veces, nos hacemos preguntas, tales como: ¿Por qué me escogiste a mí si hay personas más inteligentes que yo? "Recuerde que esto no es del que corre sino del que Dios tiene misericordia".

6. La excusa de ser joven

Una de las excusas de Jeremías, fue decir que era un niño y que no podía aceptar el llamado porque era joven.

"6Yo dije: ¡Ah, ah, Señor Jehová! ¡Yo no sé hablar, porque soy un muchacho! 7Me dijo Jehová: No digas: Soy un muchacho", porque a todo lo que te envíe irás, y dirás todo lo que te mande". Jeremías 1.6, 7

Dios te da la respuesta a tu excusa, diciéndote: "no importa tu edad, yo soy el que te diré a dónde ir y qué hablar; ¡tú no lo harás! No importa si eres un niño o un joven; no importa si eres mujer, hombre, negro o blanco, yo no me dejo llevar por esos detalles". Algunas veces, el enemigo usará personas adultas para intimidarlo por el hecho de ser joven. Recuerde que no es la edad lo que hace al hombre de Dios, sino la un-ción y la gracia de Dios en él.

7. La excusa del trasfondo familiar

"15Gedeón le respondió de nuevo:—Ah, Señor mío, ¿con qué salvaré yo a Israel? He aquí que mi familia es pobre en Manasés, y yo soy el menor en la casa de mi padre". Jueces 6.15

Algunas veces, ésta es la excusa que le damos a Dios: "Señor, yo soy pobre, mi familia es muy humilde, soy del campo". La pregunta que yo le hago hoy es: ¿Cuál es su excusa frente al llamado de Dios? ¿Cómo le responderá al Señor cuando lo llame? ¿Está dispuesto a poner algo que usted ama en el altar?

Cada llamado de Dios en nuestra vida trae consigo un precio que pagar. ¿Qué pondrá en el altar? Hay muchos que han puesto dinero, fama y carrera. Otros han sacrifi-cado sus sueños, ambiciones deseos para ponerlo a Él en primer lugar. La respuesta debe ser: "Señor, heme aquí, envíame a mí". Debemos estar dispuestos a hacer cual-quier cosa para cumplir Su llamado. Algunas veces, tene-mos que sacrificar la mitad de nuestro salario, nuestro negocio o cualquier otra cosa. Podemos decirle hoy al Señor: "Señor, envíame a mí, yo iré en tu nombre". Dios no está buscando habilidad sino disponibilidad. Dios tiene un propósito divino con cada uno de nosotros, y debemos estar dispuestos para ir a donde Él quiera enviarnos.

CAPÍTULO IV

ৡৡৡ

Los Dones
Ministeriales

ৡৡৡ

H emos estudiado lo que es el llamamiento de Dios y el proceso de Dios para enviarnos a trabajar exclusivamente en el ministerio. Ahora, vamos a estudiar todos los dones y llamados que la palabra de Dios nos habla y cómo podemos encontrarlos. Esta lista de dones la vamos a dividir en tres categorías, las cuales son:

1. Dones ministeriales
2. Dones de manifestación o del Espíritu Santo
3. Dones de motivación o de ayuda

Hay una unción que fue dada a cada creyente para desarrollar su don o su llamado, y hay otra unción diferente que fue dada a cada uno de los cinco ministerios para cumplir el llamado de Dios. Es una unción mayor que la del resto de los otros dones y ministerios.

"28Y a unos puso Dios en la iglesia, primeramente apóstoles, luego profetas, lo tercero maestros, luego los que hacen milagros, después los que sanan, los que ayudan, los que administran, los que tienen el don de lenguas". 1 Corintios 12.28

Dios dio a la iglesia cinco ministerios, los cuales llamaremos oficinas de gobierno eclesiásticas, y éstos son:

- Apóstoles
- Profetas

- Pastores
- Evangelistas
- Maestros

Dios también ha dado otros ministerios a la iglesia, veamos cuáles son:

"⁶De manera que teniendo diferentes dones, según la gracia que nos es dada, si el de profecía, úsese conforme a la medida de fe; ⁷o si de servicio, en servir; o el que enseña, en la enseñanza; ⁸el que exhorta, en la exhortación; el que reparte, con liberalidad; el que preside, con solicitud; el que hace misericordia, con alegría". *Romanos 12.6-8*

Con estos otros ministerios, hay un cierto nivel de unción que les fue dada. Sin embargo, cuando hablamos de los cinco ministerios principales mencionados anteriormente, la unción es diferente, es mayor y es dada a cada ministerio en un nivel superior. Usted puede ser usado en más de un ministerio, pero necesita encontrar exactamente cuál es su llamado para poder funcionar correctamente.

Cada uno de nosotros está ungido en cierta área, pero si nos salimos de ella, no seremos de bendición al cuerpo y no habrá un respaldo de la unción.

El Apóstol

"²⁸Y a unos puso Dios en la iglesia primeramente apóstoles...". *1 Corintios 12.28*

Mucho se ha dicho y enseñado acerca del ministerio del apóstol, pero ahora vamos a estudiar cuidadosamente qué es lo que la Escritura nos habla acerca de este ministerio. Yo creo que cada apóstol, recibe de Dios una revelación desde un ángulo diferente, pero con una sola verdad bíblica.

¿Qué es un apóstol?

La palabra **apóstol** viene del vocablo griego *"apostolos"*, que significa uno que es enviado, uno que es ungido o escogido por Dios para cumplir una tarea específica.

Hoy día, hay un sinnúmero de individuos que se llaman ellos mismos apóstoles, pero no cumplen con los requisitos iniciales de un apóstol; por tanto, de éstos debemos huir. Para no ser engañados, vamos a dar ciertas características de un verdadero apóstol, y de esa manera, aprenderemos a identificarlo.

"²Yo conozco tus obras, tu arduo trabajo y tu perseverancia, y que no puedes soportar a los malos, has probado a los que se dicen ser apóstoles y no lo son, y los has hallado mentirosos". Apocalipsis 2.2

¿Cuáles son las características bíblicas principales que identifican un verdadero apóstol?

1. El llamado de un genuino apóstol, ha sido confirmado y revelado por dos o más testigos independientes.

"²Ministrando estos al Señor y ayunando, dijo el Espíritu Santo: Apartadme a Bernabé y a Saulo para la obra a que los he llamado". Hechos 13.1, 2

Un verdadero apóstol, no es uno que se llama a sí mismo apóstol, sino aquel que otros testigos independientes lo confirman, tales como: apóstoles maduros y profetas con mucha experiencia. Uno que fue confirmado por revelación divina, también es comisionado como apóstol para hacer una obra específica en una ciudad, en una nación o en un continente. Además de ser confirmado el llamado por ministros, apóstoles, profetas y maestros, también es confirmado por el pueblo, el cual lo reconoce como tal, sin necesidad de que la persona se proclame a sí misma apóstol.

2. **A un apóstol le siguen las señales, maravillas, milagros y prodigios.**

"12*Con todo, las señales de apóstol han sido hechas entre vosotros en toda paciencia, señales, prodigios y milagros...*" 2 Corintios 12.12

"4*...y ni mi palabra ni mi predicación fueron con palabras persuasivas de humana sabiduría, sino con demostración del Espíritu y de poder...*". 1 Corintios 2.4

¿Qué es una señal?

Es una marca del amor y del poder de Dios. Es algo que provoca el asombro del observador. Es una marca o una indicación que hace que el espectador se maraville por lo que oye y por lo que ve.

Una característica de un apóstol genuino, es el respaldo de Dios con señales y maravillas que le siguen. Dentro de estas señales apostólicas, hay algunas específicas, tales como:

- **La resurrección de los muertos.**

La palabra de Dios nos habla de cómo muchos muertos fueron resucitados, no solamente en el ministerio de Jesús y los profetas, sino también en el ministerio de los apóstoles, como lo fue en el caso de Pedro y Pablo.

"40Entonces, sacando a todos, Pedro se puso de rodillas y oró; y volviéndose al cuerpo, dijo: «¡Tabita, levántate!». Ella abrió los ojos y, al ver a Pedro, se incorporó. 41Él le dio la mano y la levantó; entonces llamó a los santos y a las viudas y la presentó viva". Hechos 9.40, 41

- **Milagros extraordinarios de sanidad y liberación.**

"12Por la mano de los apóstoles se hacían muchas señales y prodigios en el pueblo. Estaban todos unánimes en el pórtico de Salomón..." Hechos 5.12

Las señales hechas por un apóstol son convincentes y extraordinarias, y después que son hechas, nadie puede dudar que ese individuo es un siervo de Dios.

- **Milagros de confrontación en contra del enemigo.**

"16Aconteció que mientras íbamos a la oración, nos salió al encuentro una muchacha que tenía espíritu de adivinación, la cual daba gran ganancia a sus amos, adivi-

nando. ¹⁷Ésta, siguiendo a Pablo y a nosotros, gritaba:—¡Estos hombres son siervos del Dios Altísimo! Ellos os anuncian el camino de salvación ¹⁸Esto lo hizo por muchos días, hasta que, desagradando a Pablo, se volvió él y dijo al espíritu:—Te mando en el nombre de Jesucristo que salgas de ella. Y salió en aquella misma hora".
Hechos 16.16-18

Este caso aconteció cuando Pablo inició una guerra contra los principados y las potestades de Efesos. Los confrontó, y el resultado fue un gran avivamiento. El apóstol tiene una fuerte unción de liberación y guerra espiritual.

- **Milagros para decretar juicio contra los enemigos del evangelio.**

"⁸Pero los resistía Elimas, el mago (pues así se traduce su nombre), intentando apartar de la fe al procónsul. ⁹Entonces Saulo, que también es Pablo, lleno del Espíritu Santo, fijando en él los ojos, ¹⁰le dijo: —¡Lleno de todo engaño y de toda maldad, hijo del diablo, enemigo de toda justicia! ¿No cesarás de trastornar los caminos rec-tos del Señor? ¹¹Ahora, pues, la mano del Señor está con-tra ti, y quedarás ciego y no verás el sol por algún tiempo".
Hechos 13.8-11

A través de todo el libro de los Hechos, vemos cómo las señales, las maravillas y los prodigios se manifiestan en los apóstoles frecuentemente. Ésta es una característica de un verdadero apóstol y también, de una iglesia apostólica.

Las señales y maravillas tienen varios propósitos en el ministerio de un apóstol, algunas son:

❖ **Revelan la aprobación de Dios al ministerio apostólico.**

"2De repente vino del cielo un estruendo como de un viento recio que soplaba, el cual llenó toda la casa donde estaban..." Hechos 2.2

Dios aprueba con señales ese ministerio apostólico, y es un sello de que Dios está con él o ella.

❖ **Son la marca de una iglesia apostólica.**

"42Y perseveraban en la doctrina de los apóstoles, en la comunión unos con otros, en el partimiento del pan y en las oraciones". Hechos 2.42

En cualquier iglesia apostólica, va a ser muy común ver ocurrir señales, milagros, liberaciones, entre otros.

❖ **Hacen que el pueblo hable, ministre y ore con denuedo y osadía.**

"30...mientras extiendes tu mano para que se hagan sanidades, señales y prodigios mediante el nombre de tu santo Hijo Jesús". Hechos 4.30

Cuando el pueblo ve todas estas señales ocurrir, recibe una impartición para interceder, evangelizar y para hablar con atrevimiento, osadía y audacia la palabra de Dios.

❖ **Acompañan o le siguen al que es enviado.**

"³⁶Éste los sacó, habiendo hecho prodigios y señales en tierra de Egipto, en el Mar Rojo y en el desierto por cuarenta años". Hechos 7.36

Hay muchas personas que se envían solas, y como resultado, ninguna señal ocurre en sus ministerios. Es necesario ser enviado por la cobertura de la casa.

❖ **Dan testimonio de la palabra de Dios.**

"³Sin embargo, se detuvieron allí mucho tiempo, hablando con valentía, confiados en el Señor, el cual daba testimonio de la palabra de su gracia, concediendo que se hicieran por las manos de ellos señales y prodigios". Hechos 14.3

Una de las principales razones por las cuales Dios manifiesta las señales y prodigios, es porque el Señor siempre confirma su Palabra.

❖ **Son el anuncio publicitario de Dios para atraer la gente.**

Las señales y maravillas son el mejor agente publicitario de Dios; son mejores que cualquier medio de comunicación, aunque necesitamos los medios y son importantes, pero Dios atrae más personas con sus señales.

Para concluir, podemos decir que la predicación y la enseñanza de un apóstol estarán confirmadas con sanidades, milagros, bautismos con el Espíritu Santo, profecía, liberación, echar fuera demonios, entre otros. Dios está levantando verdaderos apóstoles en el mundo de hoy.

3. **Los apóstoles son la cobertura espiritual de ministerios, iglesias y ministros.**

"⁴Lo acompañaron hasta Asia, Sópater hijo de Pirro, de Berea; Aristarco y Segundo, de Tesalónica; Gayo, de Derbe, y Timoteo; y de Asia, Tíquico y Trófimo. ⁵Estos, habiéndose adelantado, nos esperaron en Troas". Hechos 20.4, 5

Dios trae a la vida de un apóstol, por medio del Espíritu Santo, iglesias que no tienen ninguna cobertura espiritual, ministerios que quieren trabajar en equipo y en unidad para edificar el reino. También, trae ministros y líderes huérfanos que están buscando un padre espiritual que los cubra y que les dé adiestramiento, herramientas y palabras de ánimo. Hay muchos pastores jóvenes que están huérfanos en el ministerio, que necesitan la cobertura o la protección espiritual de un apóstol.

4. **Los apóstoles han tenido y siguen teniendo éxito en establecer iglesias.**

"⁶Yo planté, Apolos regó; pero el crecimiento lo ha dado Dios". 1 Corintios 3.6

"²Si para otros no soy apóstol, para vosotros ciertamente lo soy, porque el sello de mi apostolado sois vosotros en el Señor". 1 Corintios 9.2

Una señal inequívoca de un apóstol es la habilidad dada por el Señor para establecer nuevas iglesias. Los verdaderos apóstoles han tenido éxito en el establecimiento de iglesias, partiendo desde cero hasta llevarlas a ser iglesias poderosas, con un fuerte liderazgo en evangelismo, profecía, liberación, intercesión, guerra espiritual, la familia, entre otros. Cada vez que han establecido una iglesia local, en cualquier lugar, Dios les ha dado la unción y la gracia para hacerla crecer en grandes proporciones y en calidad. Desafortunadamente, hay muchas personas que se llaman apóstoles y nunca han establecido ni una iglesia.

5. **Los apóstoles tienen una fuerte oposición del diablo y sus demonios.**

El ministerio apostólico puede ser identificado por la gran cantidad de oposiciones que recibe del enemigo, por la persecución de los religiosos, el rechazo de otros pastores y ministerios, la crítica y el juicio de mucha gente. Esta persecución del enemigo es debido a la continua revelación que se le brinda a los creyentes. La iglesia en general, cree que los ministerios que no reciben ninguna persecución, son bendecidos y que los que son perseguidos y criticados es porque están haciendo algo malo. Un ministerio apostólico siempre tendrá mucha persecución, crítica y oposición de la gente y del enemigo. Además, es importante destacar, que una de las enseñanzas fuertes de un apóstol, es la liberación, y ésta es otra razón por la cual el apóstol recibe mucha persecución.

"⁷Y para que la grandeza de las revelaciones no me exaltara, me fue dado un aguijón en mi carne, un mensajero de Satanás que me abofetee, para que no me enaltezca; ⁸respecto a lo cual tres veces he rogado al Señor que lo quite de mí".
2 Corintios 12.7, 8

6. El apóstol opera en un alto nivel de sabiduría divina.

Algunas áreas donde opera la sabiduría de Dios en un apóstol son las siguientes:

- El apóstol tiene la sabiduría para encontrar la verdadera raíz de las cosas, de los problemas en una iglesia o en una persona. Una de las facetas de la sabiduría consiste en conocer la verdadera naturaleza de las cosas visibles o invisibles.

- Un apóstol tiene la sabiduría de cómo aplicar el conocimiento de la Palabra a la vida diaria.

- Un apóstol tiene la sabiduría para conocer el comportamiento, la conducta y el carácter de las personas.

- El apóstol tiene la sabiduría para hacer guerra espiritual.

- El apóstol tiene la sabiduría para la definición de estrategias, para ganar almas, recursos, ciudades y naciones para el reino.

- El apóstol tiene la sabiduría para usar e invertir el dinero de Dios correctamente.

7. **El apóstol tiene un corazón de padre.**

"15Aunque tengáis diez mil maestros en Cristo, no tendréis muchos padres, pues en Cristo Jesús yo os engendré por medio del evangelio". 1 Corintios 4.15

Una de las señales de la restauración de Dios para la iglesia, está en el libro de Malaquías. Es la restauración del corazón de los padres hacia los hijos y de los hijos hacia los padres. Hoy día, tenemos muchos hijos e hijas huérfanos, tanto en el ministerio como en el hogar, ya sea porque la figura paterna algunas veces no estuvo en el hogar, o estaba presente, pero no fue un buen ejemplo para sus hijos.

Hay mucha escasez de un modelo de padre en la iglesia y en el hogar. Una de las bendiciones que im-parte la paternidad, es que les da identidad a sus hijos, y un padre es aquel que le dice a sus hijos: "yo te amo", "tú eres especial", "tú eres un pastor", "tú eres un profeta", "creo en ti aunque nadie más crea en ti". Hoy día, se necesita esa identidad para los hijos en el hogar y para los hijos espirituales en la iglesia. Hay muchos pastores que están confundidos en su llamado, pues no saben quiénes son como personas ni conocen su verdadero llamado ministerial. No saben si son pasto-res, evangelista o maestros. Necesitan un pa-dre que les afirme y les confirme su llamado en Cristo Jesús.

8. **El apóstol tiene la unción de rompimiento.**

La palabra **rompimiento** se define como el acto o el instante de romper, pasando a través de una obstrucción; es la habilidad de penetrar más allá de las líneas de defensa del enemigo.

"27 Acontecerá en aquel tiempo que su carga será quitada de tu hombro, y su yugo de tu cerviz, y el yugo se pudrirá a causa de la unción". Isaías 10.27

Las predicaciones y las enseñanzas que trae un apóstol vienen con rompimiento en las siguientes áreas: finanzas, liberación, religión, tradiciones, orgullo, formas de pensar, entre otras. Esto es posible con la unción apostólica.

Las ocho características bíblicas anteriores del ministerio apostólico, enseñan al creyente la forma de identificar, reconocer y medir todos aquellos que reclaman ser apóstoles. El simple hecho de decir que Dios nos ha puesto en el oficio del apóstol, no es una prueba suficiente de que lo somos. Todas estas características son innegables. La palabra de Dios nos muestra claramente cuáles son las señales y las evidencias de un verdadero apóstol.

El Profeta

¿Qué es un profeta? El profeta es uno que habla en el nombre de Dios, ya sea en presente, pasado o futuro. En el Antiguo Testamento, los profetas son llamados "videntes". Es un vocero que tiene visiones y revelaciones de parte de Dios. Habla cuando es impulsado por una inspiración repentina e iluminado por una revelación momentánea.

¿Cuáles son las características de un profeta?

- Se mueve especialmente en los **dones de revelación.**

¿Cuáles son los dones de revelación?

- Don de palabra de ciencia
- Don de palabra de sabiduría
- Don de discernimiento de espíritu

- A menudo, el profeta tiene la habilidad de ver el mundo espiritual a través del don de discernimiento. Tiene la habilidad de ver el peligro y cosas más allá de lo que otros no ven. También, tiene visiones sobrenaturales.

- La mayoría de las veces, los profetas operan bajo otro ministerio. Es decir, además de ser profetas son pastores, evangelistas o maestros. Hay ciertas combinaciones, tales como: profeta y evangelista; profeta y pastor; profeta y maestro; profeta, maestro, pastor y evangelista. También, se puede dar el mismo caso del Dr. Bill Hamon, que es Profeta y Apóstol.

- Hay una diferencia entre ser un profeta y profetizar. Hay una diferencia entre la oficina del profeta y la profecía. Cualquier creyente puede profetizar, pero eso no lo hace un profeta. Sin embargo, todos los profetas profetizan. La profecía del Nuevo Testamento es para edificar, consolar y exhortar.
- Los profetas traen la **revelación profética.**

"7Porque no hará nada Jehová el Señor, sin que revele su secreto a sus siervos los profetas". Amós 3.7

La revelación puede venir en forma de sueños y visiones, según la palabra de Dios. Los profetas son "videntes"; ellos saben de antemano los planes y los propósitos de Dios.

- Los profetas tienen **gran autoridad.**

"10Mira que te he puesto en este día sobre naciones y sobre reinos, para arrancar y para destruir, para arruinar y para derribar, para edificar y para plantar". Jeremías 1.10

La autoridad profética los hace capaces de arrancar, derribar raíces y destruir toda obra diabólica. Además, ellos tienen autoridad para plantar y edificar el reino de Dios.

- Los profetas **activan los dones** en las personas.

"10Y profeticé como me había mandado, y entró espíritu en ellos y vivieron, y estuvieron sobre sus pies, un ejército grande en extremo". Ezequiel 37.10

La unción de los profetas trae consigo la capacidad de activación. Por medio de sus mensajes, imparten y activan los dones y ministerios en los creyentes. Cuando los creyentes están desubicados y apáticos, los profetas tienen la unción para ubicarlos y avivarlos.

- Los profetas **confirman las cosas** de Dios.

"32Y Judas y Silas, como ellos también eran profetas, consolaron y confirmaron a los hermanos con abundancia de palabras". Hechos 15.32

Dios ha puesto el ministerio del profeta para dar confirmación, y esto es para fortalecer, dar nueva seguridad y remover dudas. Cuando ellos confirman un llamado, una visión, una palabra o una decisión, el pueblo se vuelve firme, constante y crece en el Señor.

• Los profetas son una **ayuda en la casa** del Señor.

"1Profetizaron Hageo y Zacarías hijo de Ido, ambos profetas, a los judíos que estaban en Judá y en Jerusalén en el nombre del Dios de Israel quien estaba sobre ellos. 2Entonces se levantaron Zorobabel hijo de Salatiel y Jesúa hijo de Josadac, y comenzaron a reedificar la casa de Dios que estaba en Jerusalén; y con ellos los profetas de Dios que les ayudaban". Esdras 5.1, 2

Cuando Dios está haciendo algo en un lugar, viene la oposición satánica. Por tal razón, Dios envía a los profetas, con el fin de que ayuden al pastor local y eviten los ataques del enemigo. El profeta es un radar espiritual que detecta cualquier maquinación del diablo.

El Pastor

¿Quién es un pastor? Pastor es uno que alimenta, guía, vigila y cuida del rebaño. Dios le da la unción para hacer este tipo de trabajo.

¿Cuáles son las funciones de un pastor?

- **Alimentar.** La congregación necesita ser alimentada con una buena palabra de Dios. A cada pastor, le ha sido dada la habilidad de enseñar, y es de esa manera, es que alimenta a las ovejas.

- **Guiar.** El pastor dirige y guía al pueblo a cumplir con la voluntad del Señor para la congregación, y lo hace mediante el ejemplo y la inspiración. Una de las cosas que todo pastor debe conocer, es la visión de Dios para ese pueblo, y así guiarlo correctamente.

- **Vigilar.** El pastor tiene la responsabilidad de guardar las ovejas de falsas doctrinas, de corregir a los creyentes rebeldes y de restaurar a los caídos.

- **Cuidar.** El pastor tiene cuidado de sus ovejas en el área espiritual, emocional y física, y está siempre como un padre para sus hijos. Podemos hablar de otras funciones del pastor, pero la prioridad delante de Dios es estudiar la Palabra y orar para dar buen alimento a la grey. No se puede operar como pastor si no se tiene la unción para ello, porque de otra manera, la iglesia no crece. La persona que no esté ungida para ser pastor, no tendrá las fuerzas para cumplir con el ministerio.

¿Cuáles son las características de un pastor?

- **El pastor tiene el corazón de un padre.** Ama estar con el pueblo, busca la oveja perdida, ora por el pueblo y se preocupa por la necesidad del pueblo.

- **El pastor debe ser marido de una sola mujer.** La vida matrimonial del pastor debe ser un ejemplo para la congregación, teniendo a su mujer e hijos en sujeción.

"¹Palabra fiel: «Si alguno anhela obispado, buena obra desea». ²Pero es necesario que el obispo sea irreprochable, marido de una sola mujer, sobrio, prudente, decoroso, hospedador, apto para enseñar; ³que no sea dado al vino ni amigo de peleas; que no sea codicioso de ganancias deshonestas, sino amable, apacible, no avaro; ⁴que gobierne bien su casa, que tenga a sus hijos en sujeción con toda honestidad ⁵(pues el que no sabe gobernar su propia casa, ¿cómo cuidará de la iglesia de Dios?); ⁶que no sea un neófito, no sea que envaneciéndose caiga en la condenación del diablo. ⁷También es necesario que tenga buen testi-monio de los de afuera, para que no caiga en descrédito y en lazo del diablo. 1 Timoteo 3.1-7

- **El pastor es paciente con las ovejas.** Ama a sus ovejas tal como son y les tiene paciencia durante su proceso de cambio.

El Evangelista

La palabra evangelista significa **uno que proclama buenas nuevas**. El evangelista tiene la habilidad de compartir el evangelio de Jesucristo con otros de una manera que los no creyentes, lleguen al conocimiento de Cristo y se conviertan al cristianismo.

"⁵Entonces Felipe, descendiendo a la ciudad de Samaria, les predicaba a Cristo. ⁶Y la gente unánime, escuchaba atentamente las

cosas que decía Felipe, oyendo y viendo las señales que hacía. [7]Porque de muchos que tenían espíritus inmundos, salían éstos dando grandes voces; y muchos paralíticos y cojos eran sanados".
Hechos 8.5-7

Nótese que son buenas noticias; no son noticias de condenación ni de juicio. El evangelista debe traer un mensaje de reconciliación entre Dios y el hombre.

¿Cuáles son las características de un evangelista?

- **La unción de señales y prodigios.** Dios capacita al evangelista con una unción especial de milagros y sanidades. El evangelista dirige su mensaje al inconverso y ellos, con frecuencia, necesitan ver la demostración del poder de Dios en acción.

- **La unción evangelística es para el inconverso.** Dios ha capacitado al evangelista para que su mensaje esté ungido y, de esta manera, logre tocar a los incrédulos.

- **El mensaje es: Jesús crucificado, muerto y resucitado.** Dios lo ha capacitado para proclamar el arrepentimiento y la reconciliación del hombre con Dios por medio del sacrificio de Jesús en la cruz del Calvario.

- **El evangelista tiene pasión por las almas.** Dios le ha ungido con una gran pasión para ir a predicar al que no conoce a Jesús. Tiene amor por el perdido y las almas son su carga.

- **El evangelista continuamente está viajando.** El ministerio principal de un evangelista es fuera de la iglesia; él va, tira la red y trae los peces a la iglesia local.

- **El evangelista debe tener una cobertura pastoral.** Dios no nos ha llamado a trabajar solos, sino como un cuerpo y nadie es independiente de nadie; todos nos necesitamos y tenemos que dar cuentas a alguien.

El Maestro

Maestro es alguien que enseña, instruye e imparte verdades bíblicas al pueblo. Un maestro de la palabra de Dios ha sido capacitado con una unción de enseñanza para poder edificar el cuerpo y llevarlo a la madurez.

Nótese que el maestro es uno que enseña la unción e instruye verdades bíblicas al pueblo, mientras que el evangelista proclama las buenas nuevas, exhorta, anima, habla con autoridad y con atrevimiento para que el inconverso oiga.

¿Cuáles son las características de un maestro?

- **Tiene gran amor y pasión por escudriñar la Palabra.** El maestro ama escudriñar, buscar, indagar acerca de la Palabra. Además, quiere conocer la raíz de las verdades bíblicas en diccionarios y en comentarios; ora y busca antes de enseñar.

- **El maestro tiene pasión por el crecimiento espiritual del pueblo.** Él desea que el pueblo conozca y viva la

Palabra, mientras que el evangelista tiene su pasión por el perdido.

- **El maestro viaja continuamente al igual que el evangelista.** Es otro ministerio donde continuamente se está ministrando al cuerpo de Cristo.

- **La unción del maestro es para edificar al pueblo.** Dios ha capacitado al maestro para instruir al pueblo de Dios, enseñarle principios bíblicos y cómo aplicarlos a la vida diaria.

Ministrar en el ministerio incorrecto

En el Antiguo Testamento, si usted ejercía en otro ministerio que no era el suyo, moría instantáneamente. Por ejemplo, dos personas entraron al lugar santísimo y cayeron muertos. Cuando una persona funciona en un ministerio para el cual no es ungido, estará fuera de la voluntad de Dios, y por consiguiente, el ministerio no crecerá. La vida y la presencia de Dios no estarán pre-sentes, y por su desobediencia, morirá a temprana edad. Por eso, es importante que cada miembro del cuerpo de Cristo conozca para qué área ha sido ungido, especial-mente si es apóstol, profeta, maestro, evangelista o pastor. Debemos orar al Señor para cumplir con el ministerio correcto, y de esa manera, la unción nos respaldará, el ministerio crecerá, las personas serán tocadas, las vidas serán transformadas y el nombre de Jesús será exaltado.

Hay un hombre de Dios muy conocido en los Estados Unidos, al cual Jesús se le apareció en una visión, en su cuarto y le estuvo hablando por casi tres horas. Dentro de las cosas que le dijo fue, que había muchos ministros que morían a temprana edad, entre los 40 y 50 años de edad, porque estaban en el ministerio incorrecto.

Usted debe estar seguro que está operando en el ministerio y en el llamado correcto, para que la unción le respalde. Recuerde que la unción de Dios está en el propósito de Dios para nuestra vida.

El respaldo de la unción de Dios sobre un individuo dependerá de tres factores:

1. **Estar en el llamado correcto.**

Todos los creyentes hemos sido llamados, pero es nuestra responsabilidad estar y conocer el llamado correcto para nuestra vida. ¿Cómo saber que estamos en el llamado correcto? Dios lo confirmará, la cobertura espiritual lo confirmará y también el pueblo. Si usted desea la bendición y la unción de Dios, tiene que estar en el llamado que Dios le dio.

2. **Estar en el tiempo correcto.**

Hay muchos ministros con un llamado poderoso de Dios, el cual fue confirmado por Dios, por el pastor y por la gente, pero no esperaron a ser enviados, y por ende, fracasaron en el ministerio. ¿Cuál fue la razón principal de su fracaso? Se fueron antes de tiempo. Dios tiene un tiempo *"kairos"* (un tiempo específico) para llevar a cabo algo, y ése es el momento de ejecutar su plan y su voluntad.

¿Quiénes confirman el tiempo de un creyente para ser enviado?

Primero Dios, luego la cobertura, que es el pastor, y finalmente, el testimonio de dos o tres personas del pueblo.

Si se va antes de tiempo, fracasará en el ministerio y Dios lo va a regresar para empezar de nuevo. Un hombre fuera del tiempo de Dios herirá a muchas personas.

3. El lugar correcto

Hay que establecer que para que Dios respalde a un ministerio o a un hombre con Su unción, poder, gracia, autoridad, milagros, finanzas y señales, es imprescindible estar en el llamado correcto y en el tiempo correcto. La preparación, la separación y el ser enviado, tienen que llevarse a cabo en el *"kairos"* y en el lugar correcto de Dios. Recuerde que los lugares son importantes para el Señor, según lo estudiamos anteriormente. Considere estos tres aspectos y si ha fallado en alguno de ellos, debe corregirlo, y la bendición de Dios estará con usted.

❧❧❧

Los dones del Espíritu Santo

❧❧❧

CAPÍTULO V

Los dones del Espíritu Santo

LOS DONES DEL ESPÍRITU SANTO

*U*na de las preguntas más comunes acerca de los dones del Espíritu Santo es: ¿Todos los creyentes tienen un don? La respuesta es "sí". A cada creyente, se le ha dado un don, con el propósito de bendecir el cuerpo de Cristo. A continuación, estudiaremos el propósito por el cual los dones del Espíritu Santo fueron dados a cada creyente.

¿Cuál es el propósito de los dones del Espíritu Santo?

1. **Edificación y crecimiento de la iglesia.** Dios ha dado los dones para que nosotros como creyentes crezcamos y seamos edificados.

   "⁷ Pero a cada uno le es dada la manifestación del Espíritu para el bien de todos". 1 Corintios 12.7

2. **Glorificar a Jesús**

   "¹¹Si alguno habla, hable conforme a las palabras de Dios; si alguno ministra, ministre conforme al poder que Dios da, para que en todo sea Dios glorificado por Jesucristo, a quien pertenecen la gloria y el imperio por los siglos de los siglos. Amén". 1 Pedro 4.11

Los dones del Espíritu Santo fueron dados al creyente para que Jesús sea glorificado en todo, y no para exaltar o glorificar al hombre o a algún ministerio.

3. Evangelizar efectivamente

"¹⁵ Y les dijo: Id por todo el mundo y predicad el evangelio a toda criatura. ¹⁶El que crea y sea bautizado, será salvo; pero el que no crea, será condenado. ¹⁷Estas señales seguirán a los que creen: En mi nombre echarán fuera demonios, hablarán nuevas lenguas, ¹⁸ tomarán serpientes en las manos y, aunque beban cosa mortífera, no les hará daño; sobre los enfermos pondrán sus manos, y sanarán". Marcos 16.15-18

La palabra de Dios nos enseña que el evangelio no consiste en palabras solamente, sino en el poder de Dios. Vivimos en un mundo donde las personas quie-ren ver señales, y tenemos que darles una demostración visible del poder de Dios. Creo que Él ha dado los dones para equipar mejor a la iglesia y, de esta manera, poder alcanzar al perdido efectivamente.

4. Liberar al pueblo

Los dones del Espíritu Santo son dados a cada creyente para liberar al pueblo de Dios de ataduras, cadenas, opresiones y maldiciones generacionales. Una palabra de ciencia, dada por el Espíritu Santo, puede ser suficiente para descubrir una atadura del enemigo en una persona. Una vez que esa atadura es expuesta a la luz, la persona es libre por el poder de Dios.

¿Podemos movernos en los dones del Espíritu cada vez que queramos?

"11 Pero todas estas cosas las hace uno y el mismo Espíritu, repartiendo a cada uno en particular como Él quiere".
1 Corintios 12.11

Este versículo fue usado por los antiguos creyentes pentecostales para decir que ellos no se mueven en los dones a menos que el Espíritu Santo **"quiera".** Ellos piensan que si no sienten, si no ven o si no oyen algo, no pueden moverse en los dones. Por ejemplo, usted no puede profetizar, a menos que el Espíritu quiera, y en realidad, este versículo no quiere decir eso. Analicemos cuidadosamente la frase clave que está en el verso anterior, la cual es: *"repartiendo como él quiere".* Una cosa es movernos cuando queramos en los dones que el Espíritu Santo nos ha dado y otra cosa es movernos en los dones que deseamos. Esta parte del versículo 11 nos da a entender que nosotros no escogemos el don que deseamos, sino que Dios da el que Él quiere. El Espíritu Santo reparte y distribuye los dones, según su propia soberanía y voluntad.

"18Pero ahora Dios ha colocado cada uno de los miembros en el cuerpo como Él quiso". 1 Corintios 12.18

En estos versos, vemos que Él, soberanamente, puso los miembros e hizo la repartición como Él quiso. Usted no dice: "yo quiero ser apóstol, yo quiero el don de milagros o yo quiero el don de sanidades. Dios es quien reparte los dones como Él quiere. Sin embargo, para que estos dones puedan operar, es necesario que el creyente ceda su voluntad a Dios y tenga fe. Usted no tiene que esperar sentir, ver u oír algo para moverse en los dones. Usted puede profetizar por fe. Una vez que haya recibido un don, si en verdad lo tiene, entonces debe operarlo y para poder operarlo, dependerá de tres aspectos:

- **La fe.** Si creemos que tenemos el don, debemos practicarlo en cualquier momento. Por ejemplo, en mi caso, Dios me usa en los dones de sanidades y milagros, y cada vez que yo quiero orar por los enfermos, alguien siempre se sana.

- **Fluir con el don.** Debemos permitir que el don se manifieste por medio de nosotros.

- **Creer.** Actuar en lo que estamos creyendo. Si creemos que tenemos un don o un ministerio, tenemos que ministrarlo al pueblo.

El operar en los dones no es cuando el Espíritu quiera, sino cuando actuamos en fe y cedemos al fluir del Espíritu Santo. Cuando creemos en nuestro corazón, entonces, el don se manifiesta. La palabra de Dios dice: *"como el Espíritu Santo quiere"*; esto se refiere específicamente a la repartición de los dones para cada miembro y no a cómo operar en ellos.

Veamos algunos ejemplos.

¿Cuántos creen que pueden hablar en lenguas cuando quieran?

"14Si yo oro en lengua desconocida, mi espíritu ora, pero mi entendimiento queda sin fruto. 15¿Qué, pues? Oraré con el

espíritu, pero oraré también con el entendimiento; cantaré con el espíritu, pero cantaré también con el entendimiento".
1 Corintios 14.14, 15

La traducción moderna de este versículo sería la siguiente: "Pablo dice: *yo, voluntariamente (de mi propia voluntad), oraré en lenguas y oraré con el entendimiento. Yo, (voluntariamente), cantaré en el espíritu o en lenguas y, también, cantaré con el entendimiento".*

Pablo NO dijo: yo cuando siento algo, entonces alabo y canto en lenguas; él dijo: *"yo lo hago cuando yo quiero".* **Los dones son dados por el Espíritu Santo, pero son operados por medio de la fe del creyente.** De la misma manera que uno puede operar el don de lenguas cuando quiere, de esa misma forma, puede operar el don de profecía, de milagros, de sanidades y otros. Recordemos que éstos se operan mediante nuestra fe. Dios siempre quiere hablar, sanar y liberar; y si encuen-tra un vaso disponible, lo va a usar. Jesucristo es el que reparte los cinco dones u oficinas ministeriales. El Espíritu Santo es el que reparte los nueve dones, y el creyente los activa por la fe, bajo la dirección total del Padre Celestial.

¿Cuál debe ser nuestra actitud hacia los dones del Espíritu Santo?

Algunos creyentes toman una actitud muy pasiva y de mucha indiferencia hacia los dones, pero la Palabra nos enseña cuál debe ser nuestra actitud hacia ellos.

1. **No ser ignorantes acerca de los dones.** La palabra **ignorante** en el griego es *"agnoeo"*, que significa no reconocer, no conocer, no estar familiarizado, no estar informado, no tener conocimiento funcional que permita experimentar. Lo que el apóstol Pablo le está diciendo a los corintios es: "yo quiero que ustedes conozcan, se familiaricen, estén informados y tengan un conocimiento revelado de los dones para que pue-dan funcionar en ellos y, de esta manera, puedan experimentar lo que es moverse en los dones".

   "¹No quiero, hermanos, que ignoréis acerca de los dones espirituales". 1 Corintios 12.1

   Tener conocimiento acerca de los dones del Espíritu Santo es el principio de la manifestación de los dones por la fe.

2. **Procurad los mejores dones.** La palabra **procurad** en el griego es *"zeloo"*, que significa un gran deseo de ver ocurrir algo. Es un instinto que motiva al creyente a desear más allá de lo que el cristiano común pueda pensar. Esta pasión nos lleva a olvidarnos de nuestra propia imagen, sin importarnos lo que las personas digan acerca de nosotros. Es una pasión tan fuerte que nos hace anhelar, desear y querer ver la manifestación de los dones en nuestra vida.

   "³¹Procurad, sin embargo, los dones mejores".
   1 Corintios 12.31

   Desear es una clave para recibir cualquier cosa de Dios.

"²⁴Por tanto, os digo que todo lo que pidáis orando, creed que lo recibiréis, y os vendrá". Marcos 11.24

Los dones espirituales son el único atributo divino o bendición espiritual que el apóstol Pablo declara a los corintios que pueden desear o codiciar.

3. **Avivar los dones.** La palabra **avivar** en el griego es *"anazopureo"*, que significa encender de nuevo, mantener la llama viva. Aquí vemos que el apóstol Pablo le dice a Timoteo que tiene que volver a encender el fuego. Si él le dice esto, es porque el don que Timoteo había recibido en su ordenación, y que fue impartido por el presbiterio, se había apagado. Eso nos da a entender que podemos tener un don dado por Dios, pero debemos mantenerlo avivado para Él.

"⁶Por lo cual aconsejo que avives el fuego del don de Dios que está en ti, por la imposición de mis manos". 2 Timoteo 1.6

El avivamiento del don se basa en la voluntad del creyente y no en la de Dios. También, los dones pueden ser avivados en un creyente por medio de un apóstol de Dios.

¿Cómo podemos volver a avivar el don en nosotros?

Dios nos ha dado un don a cada uno y quiere usarnos a través del mismo. Por eso, no tenga temor si se equivoca al usarlo, active su don por medio de la fe y la gracia de Dios. Comience a practicarlo ahora, y recuerde que el don se desarrolla con el uso. Pídale a

Dios en oración que le dé un pensamiento o una impresión para alguna persona.

4. **Los dones se desarrollan por el ejercicio y el uso.** Todo don espiritual y toda gracia de Dios, si no se usa, ejercita o practica, no se puede desarrollar. Hay muchas personas que tienen el don de profecía y el don de sanidades, pero no lo ejercitan ni lo usan, y como resultado, no lo desarrollan. El discernimiento es desarrollado por medio de la práctica, y no sólo por la enseñanza y la predicación.

"14El alimento sólido es para los que han alcanzado madurez, para los que por el uso tienen los sentidos ejercitados en el discernimiento del bien y del mal". Hebreos 5.14

5. **Los dones no se deben descuidar.** Como creyentes, no debemos descuidar el don que Dios ha puesto en cada uno de nosotros. No debemos abusar de él ni darle mal uso porque Dios nos pedirá cuentas. He encontrado un sinnúmero de creyentes que tienen el don de milagros, sanidades, profecía, discernimiento de espíritus, entre otros, pero lo tienen apagado porque lo descuidaron.

"14No descuides el don que hay en ti, que te fue dado mediante profecía con la imposición de las manos del presbiterio". 1 Timoteo 4.14

Dios nos ha dado los dones con el propósito de edificar la iglesia y glorificar a Jesús, y por eso, no podemos ser ignorantes acerca de ellos. Debemos procurar y anhelar los dones para avivarlos en nosotros, y en la medida que los pongamos en practica, se desarrollarán en nuestras vidas.

Veamos lo que dice la Palabra:

"¹⁰Cada uno según el don que ha recibido, minístrelo a los otros, como buenos administradores de la multiforme gracia de Dios".
1 Pedro 4.10

Los dones del Espíritu Santo los podemos clasificar en tres categorías. En cada una de ellas, Dios hace algo diferente.

Dones de Poder	Dones de Inspiración o Vocales	Dones de Revelación
• Don de fe	• Profecía	• Palabra de ciencia o conocimiento
• Don de Sanidades	• Diversos géneros de lenguas	• Palabra de sabiduría
• Don de Milagros	• Interpretación de lenguas	• Discernimiento de Espíritus

Dones de Poder

É stos son los dones, en los cuales Dios está haciendo algo, y son el don de fe, el don de sanidades y el don de milagros.

"⁹...a otro, fe por el mismo Espíritu; y a otro, dones de sanidades por el mismo Espíritu. ¹⁰A otro, el hacer milagros; a otro, profecía; a otro, discernimiento de espíritus; a otro, diversos géneros de lenguas, y a otro, interpretación de lenguas".
1 Corintios 12.9, 10

1. Don de fe

¿Qué es el don de fe? Es una manifestación sobrenatural del Espíritu Santo que le da la habilidad a un creyente a creer a Dios con confianza cualquier cosa en un momento específico, tal como Dios cree.

Algunos tipos de fe que no hacen parte del "don de fe" son:

• **La fe salvadora.** El don de fe es recibido únicamente después de la salvación.

"⁸porque por gracia sois salvos por medio de la fe; y esto no de vosotros, pues es don de Dios". Efesios 2.8

Es cierto que la fe salvadora es un don de Dios para el pecador, con el fin de que reciba a Jesús. Sin embargo, el don de fe es un don del Espíritu Santo que permite obrar milagros. La fe salvadora actúa de acuerdo a un plan en el cumplimiento de las promesas, y la fe de milagros actúa en las cosas inesperadas.

- **La fe general o la medida de fe.** El don de fe no es dado a todos los creyentes, pero Dios sí da una medida de fe a cada creyente para que reciban sus promesas.

  "3Digo, pues, por la gracia que me es dada, a cada cual que está entre vosotros, que no tenga más alto concepto de sí que el que debe tener, sino que piense de sí con cordura, conforme a la medida de fe que Dios repartió a cada uno". Romanos 12.3

  Aunque el don de fe y el don de milagros "producen" milagros, el don de milagros **hace** un milagro y el don de fe **recibe** un milagro.

- **La fe como fruto del Espíritu Santo.**

  "22Pero el fruto del Espíritu es amor, gozo, paz, paciencia, benignidad, bondad, fe...". Gálatas 5.22

  El don de fe es el don más grande de los dones de poder.

  Un ejemplo de cómo el don de fe actúa, es el siguiente:

  "21Entonces Daniel respondió al rey:—¡Rey, vive para siempre! 22Mi Dios envió su ángel, el cual cerró la boca

de los leones para que no me hicieran daño, porque ante él fui hallado inocente; y aun delante de ti, oh rey, yo no he hecho nada malo. ²³Se alegró el rey en gran manera a causa de él, y mandó sacar a Daniel del foso. Sacaron, pues, del foso a Daniel, pero ninguna lesión se halló en él, porque había confiado en su Dios". Daniel 6.21-23

¿Cuáles son los propósitos del don de fe?

- Protección personal en momentos de peligro.

"³Entonces Pablo recogió algunas ramas secas y las echó al fuego; y una víbora, huyendo del calor, se le prendió en la mano. ⁴Cuando la gente de allí vio la víbora colgando de su mano, decía: —Ciertamente este hombre es homicida, a quien, escapado del mar, la justicia no deja vivir. ⁵Pero él, sacudiendo la víbora en el fuego, ningún daño padeció".
Hechos 28.3-5

- Recibir sustento sobrenatural.

"²Llegó a él una palabra de Jehová, que decía: ³«Apártate de aquí, vuelve al oriente y escóndete en el arroyo Querit, que está frente al Jordán. ⁴Beberás del arroyo; yo he mandado a los cuervos que te den allí de comer». ⁵Él partió e hizo conforme a la palabra de Jehová, pues se fue y vivió junto al arroyo Querit, que está frente al Jordán. ⁶Los cuervos le traían pan y carne por la mañana y por la tarde, y bebía del arroyo". 1 Reyes 17.2-6

- Impartir disciplina espiritual.

Aquellos individuos que han cometido ofensas graves, por medio del don de fe, son disciplinados. Como fue en el caso de los muchachos que se burlaron de Eliseo y le gritaron improperios. Cuando Eliseo los maldijo, se los comió un león.

"²³Después Eliseo salió de allí hacia Bet-el. Subía por el camino, cuando unos muchachos salieron de la ciudad y se burlaban de él, diciendo: «¡Sube, calvo! ¡Sube, calvo!». ²⁴Miró él hacia atrás, los vio y los maldijo en nombre de Jehová. Salieron dos osos del monte y despedazaron a cuarenta y dos de esos muchachos". 2 Reyes 2.23, 24

- Ganar batallas sobrenaturales.

"¹⁰Josué hizo como le dijo Moisés y salió a pelear contra Amalec. Moisés, Aarón y Hur subieron a la cumbre del collado. ¹¹Y sucedía que cuando alzaba Moisés su mano, Israel vencía; pero cuando él bajaba su mano, vencía Amalec". Éxodo 17.10, 11

"³⁰Por la fe cayeron los muros de Jericó después de rodearlos siete días". Hebreos 11.30

- Resucitar muertos.

Hay muchas personas que fueron resucitadas de los muertos en el Antiguo y en el Nuevo Testamento. Esto quiere decir que el don de fe y el de milagros han estado presentes desde ese tiempo.

- Liberar a personas de espíritus inmundos.

"11Y hacía Dios milagros extraordinarios por mano de Pablo, 12de tal manera que hasta los pañuelos o delantales que habían tocado su cuerpo eran llevados a los enfermos, y las enfermedades se iban de ellos, y los espíritus malos salían". Hechos 19.11, 12

- Suplir necesidades financieras.

"5Se fue la mujer y se encerró con sus hijos. Ellos le traían las vasijas y ella echaba del aceite. 6Cuando las vasijas estuvieron llenas, dijo a uno de sus hijos:— Tráeme otras vasijas.—No hay más vasijas— respondió él. Entonces cesó el aceite. 7Ella fue a contárselo al hombre de Dios, el cual dijo:—Ve, vende el aceite y paga a tus acreedores; tú y tus hijos vivid de lo que quede". 2 Reyes 4.5-7

¿Cuáles son las evidencias que reflejan que un creyente tiene el don de fe?

- Una gran habilidad para creer la palabra de Dios y sus promesas.

- Continuamente, cree en milagros físicos, financieros y de cualquier otro tipo, tanto para sí mismo como para otros. Estos milagros se llevan a cabo cuando el creyente, con el don de fe, ora por determinada necesidad.

- Cuando el resto duda, la persona con el don de fe se mantiene creyendo, aun en las circunstancias más difíciles.

- Cree siempre en proyectos grandes, donde se demanda mucha fe y donde la habilidad humana no puede llegar.

- Siempre tiene una actitud de fe positiva y anima a los que están a su alrededor.

2. Don de sanidades

¿Qué es el don de sanidades? Es una manifestación sobrenatural del Espíritu Santo que le da la habilidad a un creyente de ser un itermediario humano para que el poder sobrenatural de Dios sane toda clase de dolencia, ya sea orgánica, nerviosa o mental.

El don de sanidades es dado exclusivamente por el Espíritu Santo, sin ninguna ayuda natural o humana.

Un ejemplo de cómo esto opera es el siguiente:

"¹Cuando descendió Jesús del monte, lo seguía mucha gente. ²En esto se le acercó un leproso y se postró ante él, diciendo:—Señor, si quieres, puedes limpiarme. ³Jesús extendió la mano y lo tocó, diciendo:—Quiero, sé limpio. Y al instante su lepra desapareció. ⁴Entonces Jesús le dijo:—Mira, no lo digas a nadie, sino ve, muéstrate al sacerdote y presenta la ofrenda que ordenó Moisés, para testimonio a ellos". Mateo 8.1-4

¿Cuáles son los propósitos del don de sanidades?

- Liberar los enfermos y destruir las obras del enemigo.

  "38Cómo Dios ungió con el Espíritu Santo y con poder a Jesús de Nazaret, y cómo éste anduvo haciendo bienes y sanando a todos los oprimidos por el diablo, porque Dios estaba con él". Hechos 10.38

- Confirmar el mensaje del evangelio.

  "28para hacer cuanto tu mano y tu consejo habían antes determinado que sucediera. 29Y ahora, Señor, mira sus amenazas y concede a tus siervos que con toda valentía hablen tu palabra, 30mientras extiendes tu mano para que se hagan sanidades, señales y prodigios mediante el nombre de tu santo Hijo Jesús». Hechos 4.28-30

  Es importante que en un mundo incrédulo, sin Dios, sin fe y sin esperanza, la iglesia predique un evangelio con milagros, sanidades y prodigios, para que aquellos que no creen por la Palabra, crean por las obras.

- Las sanidades son el anuncio publicitario de Dios.

  Cada vez que Dios quiere que las personas vengan a un lugar, Él comienza a hacer milagros y sanidades.

- El don de sanidades es para darle la gloria a Dios.

"¹²Entonces él se levantó y, tomando su camilla, salió delante de todos, de manera que todos se asombraron y glorificaron a Dios, diciendo: Nunca hemos visto tal cosa". Marcos 2.12

¿Cómo puede un creyente ministrar el don de sanidades a los enfermos?

- Por medio de la imposición de manos.

"⁴⁰Al ponerse el sol, todos los que tenían enfermos de diversas enfermedades los traían a él; y él, poniendo las manos sobre cada uno de ellos, los sanaba". Lucas 4.40

- Por medio de la palabra hablada.

"⁸Respondió el centurión y dijo: —Señor, no soy digno de que entres bajo mi techo; solamente di la palabra y mi criado sanará..." Mateo 8.8

¿Cuáles son las evidencias más comunes que reflejan que un creyente tiene el don de sanidades?

- Tiene una gran pasión por ver los enfermos ser sanos.

- Siente una gran compasión por aquellos que están enfermos.

- A menudo, ora por muchas personas enfermas y la mayoría de ellas son sanadas instantánea o progresivamente.

- A menudo, las personas enfermas se acercan a él para que ore por ellas.

La mayor parte de las veces el don de sanidades acompaña al ministerio del evangelista.

¿Cuáles son las claves para moverse en el don de sanidades?

- **La compasión.** Casi todos los milagros que Jesús hizo se realizaron porque Él estaba lleno de compasión. Ésta es una clave para ser usado en el don de sanidades. La compasión no es otra cosa que sentir el dolor de otro y hacer algo al respecto.

  "35Recorría Jesús todas las ciudades y aldeas, enseñando en las sinagogas de ellos, predicando el evangelio del Reino y sanando toda enfermedad y toda dolencia en el pueblo". Mateo 9.35, 36

- **La fe.** No imponga manos a personas que son incrédulas, sino a personas que creen para que Dios haga algo en esa persona.

¿Cómo podemos activar el don de sanidades?

- Comience a orar por los enfermos **ahora mismo.** Dondequiera que vaya y en cualquier lugar que esté, ore por los enfermos. Jesús nos dio una gran comisión de ir y predicar el evangelio a toda criatura, y que en su nombre, sanemos a los enfermos.

• Pídale al Señor que cada día de su vida le ponga una persona enferma por la cual orar.

• Anhele y desee el don de sanidades con todo su corazón y actúe ejercitándolo todo el tiempo.

• No se desanime si no ve resultados inmediatos. Recuerde que la sanidad es instantánea o progresiva, y su trabajo es creer la Palabra y orar por las personas.

• Busque un hombre o una mujer que tiene el don de sanidades y pídale que lo active con ese don.

• Lleve un récord de todas las personas por las cuales oró y cuente cuántas de ellas fueron sanadas.

¿Qué NO es el don de sanidades?

• La oración que se hace por los enfermos ungiéndoles con aceite, no corresponde necesariamente al don de sanidades. Este tipo de oración por los enfermos es hecho por ancianos de la iglesia, y se fundamenta en la fe de ellos y en las promesas de la Palabra, pero no significa que el don de sanidades está operando.

• Fluir en el don de sanidades, no es hacer una oración de fe. Cada creyente tiene el mandato de Jesús para orar por los enfermos, pues tiene la autoridad y el respaldo de Dios, y puede orar en fe por cada uno de ellos, pero no significa que tiene el don de sanidades.

3. Don de milagros

¿Qué es el don de milagros? El don de milagros es la manifestación sobrenatural del Espíritu Santo que le da al creyente la habilidad para intervenir de una manera sobrenatural, como un instrumento o agente de Dios, en el curso ordinario de la naturaleza o de la vida. Además, es una suspensión temporal del orden acotumbrado.

"¹⁰A otro, el hacer milagros; a otro, profecía; a otro, discernimiento de espíritus; a otro, diversos géneros de lenguas, y a otro, interpretación de lenguas".
1 Corintios 12.10

¿Qué es un milagro?

Es un acto repentino de Dios, el cual se sale del círculo habitual al que están limitadas sus criaturas o creación. Por ejemplo, Josué ordenó al Sol y a la Luna que se detuviesen.

"¹²Entonces Josué habló a Jehová, el día en que Jehová entregó al amorreo delante de los hijos de Israel, y dijo en presencia de los israelitas: «Sol, detente en Gabaón, y tú, luna, en el valle de Ajalón». ¹³Y el sol se detuvo, y la luna se paró, hasta que la gente se vengó de sus enemigos". Josué 10.12, 13

Recordemos que un milagro puede ser de tipo físico, financiero, de salud, transformación de una persona, una puerta cerrada que se abre, entre otros. La diferencia entre el don de milagros y el don de sanidades, es que cuando el milagro ocurre, Dios crea algo nuevo, mientras que la sanidad puede ser la restau-ración de algo dañado.

¿Cuáles son los propósitos del don de milagros?

• Liberar al pueblo de su enemigo.

Dios libertó a su pueblo de la esclavitud de Egipto y, en medio del desierto, le dio sombra, agua, comida, vestido y, además, salieron con plata y oro. Así mismo Dios puede detener trenes, dirigir automóviles, evitar accidentes, desviar huracanes y evitar terremotos. Todo esto Dios lo hace por salvar a su pueblo.

• Proveer a los que están en necesidad.

"14Porque Jehová, Dios de Israel, ha dicho así: "La harina de la tinaja no escaseará, ni el aceite de la vasija disminuirá, hasta el día en que Jehová haga llover sobre la faz de la tierra". 15La viuda fue e hizo como le había dicho Elías. Y comieron él, ella y su casa, durante muchos días. 16No escaseó la harina de la tinaja, ni el aceite de la vasija menguó, conforme a la palabra que Jehová había dicho por medio de Elías".
1 Reyes 17.14-16

- Confirmar la palabra predicada.

"11Ahora, pues, la mano del Señor está contra ti, y quedarás ciego y no verás el sol por algún tiempo. Inmediatamente, cayeron sobre él oscuridad y tinieblas; y andando alrededor, buscaba quien lo condujera de la mano. 12Entonces el procónsul, viendo lo que había sucedido, creyó, admirado de la doctrina del Señor". Hechos 13.11, 12

- Liberarnos de situaciones de peligro.

"23Entró él en la barca y sus discípulos lo siguieron. 24Y se levantó en el mar una tempestad tan grande que las olas cubrían la barca; pero él dormía". 25Se acercaron sus discípulos y lo despertaron, diciendo:—¡Señor, sálvanos, que perecemos! 26Él les dijo: —¿Por qué teméis, hombres de poca fe? Entonces, levantándose, reprendió a los vientos y al mar, y sobrevino una gran calma". Mateo 8.23-26

- Resucitar muertos.

"38Jesús, profundamente conmovido otra vez, vino al sepulcro. Era una cueva y tenía una piedra puesta encima. 39Dijo Jesús: —Quitad la piedra. Marta, la hermana del que había muerto, le dijo: —Señor, hiede ya, porque lleva cuatro días. 40Jesús le dijo: — ¿No te he dicho que si crees verás la gloria de Dios? 41Entonces quitaron la piedra de donde había sido puesto el muerto. Y Jesús, alzando los ojos a lo alto, dijo: —Padre, gracias te doy por haberme oído. 42Yo sé que siempre me oyes; pero lo dije por causa de la multitud que está alrededor, para que crean que tú me has enviado. 43Y habiendo dicho esto, clamó a gran

voz: —¡Lázaro, ven fuera! [44]Y el que había muerto salió, atadas las manos y los pies con vendas, y el rostro envuelto en un sudario. Jesús les dijo: —Desatadlo y dejadlo ir". Juan 11.38-44

- Crear órganos nuevos.

"[6]Dicho esto, escupió en tierra, hizo lodo con la saliva y untó con el lodo los ojos del ciego, [7]y le dijo: —Ve a lavarte en el estanque de Siloé —que significa «En-viado»—. Entonces fue, se lavó y regresó viendo". Juan 9.6-7

¿Cuáles son las evidencias que reflejan que un creyente tiene el don de milagros?

- Tiene el don de fe.

No estamos hablando de una fe cualquiera, sino de una fe especial para creerle a Dios cualquier cosa.

- A menudo, Dios lo usa para hacer milagros de todo tipo en otras personas. Ha visto a Dios hacer milagros del cuerpo, de finanzas y de carácter en individuos, entre otros.

- Tiene un gran atrevimiento y una osadía para orar por cosas que se ven imposibles para el ser humano.

- Dios contesta sus oraciones con resultados milagrosos.

Dones de Inspiración o Vocales

*D*ios utiliza los dones de inspiración para declarar una palabra al creyente. Estos dones son: el don de profecía, el don de lenguas y el don de interpretación de lenguas.

"10A otro, el hacer milagros; a otro, profecía; a otro, discernimiento de espíritus; a otro, diversos géneros de lenguas, y a otro, interpretación de lenguas". 1 Corintios 12.10

1. Don de profecía

Éste es otro de los canales para profetizar. La palabra profecía en el griego es *"naba"*, que significa burbujear como fuente, fluir hacia delante, declarar una cosa que solamente es conocida por revelación divina. La profecía es uno de los nueve dones del Espíritu Santo. Es una habilidad, una gracia, que no es dada por la madurez cristiana, sino porque el Espíritu Santo desea bendecir a su pueblo.

¿Qué es el don de profecía?

Es un don del Espíritu Santo dado al creyente para hablar una palabra inspirada por Dios y declarar su verdad con osadía, con el propósito de exhortar, consolar y edificar al cuerpo de Cristo.

"3Pero el que profetiza habla a los hombres para edificación, exhortación y consolación". 1 Corintios 14.3

¿Cuáles son los propósitos del don de profecía en el Nuevo Testamento?

- **Hablar sobrenaturalmente.** El don de lenguas habla sobrenaturalmente a Dios, pero el don de profecía habla sobrenaturalmente a los hombres.

- **Manifestar lo oculto del corazón del hombre.** Cuando una palabra de profecía es dada a una persona y se le descubren los secretos de su cora-zón, ese individuo reconoce que Dios está en nuestro medio, viene al conocimiento de Cristo y el Señor es glorificado.

"²⁴Pero si todos profetizan, y entra algún incrédulo o indocto, por todos es convencido, por todos es juzgado; ²⁵lo oculto de su corazón se hace manifiesto; y así, postrándose sobre el rostro, adorará a Dios, declarando que verdaderamente Dios está entre vosotros".
1 Corintios 14.24, 25

- **Edificar la iglesia.** Literalmente, la palabra **edificar** significa levantar. Como vemos, esta palabra va más allá de hablar en lenguas, ya que éstas simplemente nos edifican o nos levantan a nosotros mismos. Sin embargo, cuando recibimos una profecía, ésta edifica y levanta a toda la iglesia.

"⁵Yo desearía que todos vosotros hablarais en lenguas, pero más aún que profetizarais, porque mayor es el que profetiza que el que habla en lenguas, a no ser que las interprete para que la iglesia reciba edificación".
1 Corintios 14.5

- **Exhortar a la iglesia.** Literalmente, la palabra **exhortar** significa un llamado a acercarse. Tradicionalmente, se le interpreta como el aliento y el consuelo que trae la palabra profética cuando es dada a nuestra vida, donde se nos hace un llamado a acercarnos a Dios. Después que recibimos una palabra profética genuina, nuestro corazón debe estar más sensible y más cerca de Dios. También, esa misma palabra nos imparte o infunde aliento y consuelo. Hay un sinnúmero de personas que se llaman profetas y las palabras proféticas que dan son de muerte y destrucción todo el tiempo. Dese-che ese tipo de profecías, no las reciba porque no vienen de Dios y no están de acuerdo a Su palabra.

- **Consolar a la iglesia.** La palabra consolar significa alivio en tiempo de prueba o dificultad. Algunas veces, estamos pasando por momentos de pruebas difíciles en nuestra vida, pero Dios, que conoce nuestra condición, nos trae una palabra profética y nos consuela. Sentimos que Dios nos abraza y nos deja saber que Él está con nosotros.

- **Los creyentes aprenden.** Esto significa que los creyentes llegan a ser sabios en el fluir de los dones. Se despierta en ellos una pasión por conocer más lo sobrenatural, y cuando el don de profecía se manifiesta, entonces aprenden más de ella y del resto de los dones.

"31Podéis profetizar todos, uno por uno, para que todos aprendan y todos sean exhortados". 1 Corintios 14.31

- **Convencer a los incrédulos.** Un ejemplo de esto puede ser, cuando un incrédulo entra a una iglesia y se le acerca alguien que le da una profecía que habla a su vida directamente, descubriendo los secretos de su corazón que sólo él sabía. Entonces, este individuo es convencido, se arrepiente de su pecado y conoce a Jesús como Señor y Salvador. Es tiempo de que la iglesia de Cristo manifieste lo sobrenatural de Dios para que el incrédulo no tenga que buscar fuentes diabólicas, sino que venga a la iglesia del Señor y que Él, por medio de nosotros, revele su corazón.

¿Qué NO es el don de profecía?

- No es la predicación de la palabra de Dios, porque predicar es, regularmente, hablar las verdades bíblicas que han sido investigadas y estudiadas para la exposición de ellas. Usualmente, la profecía es una improvisación por inspiración del Espíritu Santo. La predicación proclama el *"logos"*, que es la palabra escrita. La profecía proclama el *"rhema"*, que es una palabra viva dada por Dios en un momento específico. No es un don para guiar a los creyentes, sino para confirmar la voluntad de Dios.

- No es un don que profetiza todo el tiempo lo malo. Algunas personas creen que este don es para profetizar lo malo, los juicios y la condenación de Dios para las personas; pero la realidad es, que este don es para edificar, exhortar y consolar a Su pueblo.

- El don de profecía no es igual que el oficio del profeta. Cualquier creyente puede profetizar, pero no todo creyente puede ser un profeta. El don de profecía es dado al individuo y el profeta es dado al cuerpo.

La personalidad profética

¿Cuáles son las características de una persona que tiene una personalidad profética?

Antes de estudiar las señales espirituales, veamos cuáles son las señales que evidencian que un creyente tiene una personalidad profética. Éstas son:

- **Tienen la necesidad de expresar pensamientos e ideas verbal y espiritualmente** con referencia a lo correcto e incorrecto. Veamos el caso de Pedro:

  "22Varones israelitas, oíd estas palabras: Jesús Nazareno, varón aprobado por Dios entre vosotros con las maravillas, prodigios y señales que Dios hizo entre vosotros por medio de él, como vosotros mismos sabéis; 23a éste, entregado por el determinado consejo y anticipado conocimiento de Dios, prendisteis y matasteis por manos de inicuos, crucificándole..." Hechos 2.22, 23

- **Tienen la habilidad de sentir cuando alguien es hipócrita y reaccionan duramente.** Las personas con una personalidad profética saben discernir entre lo correcto y lo incorrecto, lo malo y lo bueno; para ellos, no existen áreas grises.

"3Pedro le dijo: Ananías, ¿por qué llenó Satanás tu corazón para que mintieras al Espíritu Santo y sustrajeras del producto de la venta de la heredad? 4Reteniéndola, ¿no te quedaba a ti?, y vendida, ¿no estaba en tu poder? ¿Por qué pusiste esto en tu corazón? No has mentido a los hombres, sino a Dios". Hechos 5.3, 4

- **Las personas que tienen una personalidad profética son muy impulsivas.** No importa el precio que tengan que pagar, lo hacen con tal de ver la justicia establecida.

"6Cuando llegó a Simón Pedro, éste le dijo: Señor, ¿tú me lavarás los pies? 7Respondió Jesús y le dijo: Lo que yo hago, tú no lo comprendes ahora, pero lo entenderás después. 8Pedro le dijo: No me lavarás los pies jamás. Jesús le respondió: Si no te lavo, no tendrás parte conmigo. 9Le dijo Simón Pedro: Señor, no sólo mis pies, sino también las manos y la cabeza. 10Jesús le dijo: El que está lavado, no necesita sino lavarse los pies, pues está todo limpio; y vosotros limpios estáis, aunque no todos". Juan 13.6-10

- **Están dispuestos a sufrir por hacer lo correcto.** No importa el precio y las consecuencias que tengan que pagar, se mantienen firmes en sus decisiones con tal que la verdad permanezca.

"29Respondiendo Pedro y los apóstoles, dijeron: Es necesario obedecer a Dios antes que a los hombres". Hechos 5.29

- **Hablan con audacia de manera persuasiva y directa.** Las personas que tienen personalidad profética nunca les hace falta algo que decir; siempre son atrevidas en el hablar y totalmente honestas. Además, "no tienen pelos en la lengua" y le dicen la verdad ante cualquier persona.

- **Odian lo malo.** Las personas que tienen una personalidad profética, tienen la habilidad divina para identificar lo malo y confrontarlo. Éstas pueden sentir la presencia de lo malo en las circunstancias y en las personas, y no lo pueden tolerar. Su mayor deseo es que Dios sea exaltado. Odian las injusticias que se hacen en contra de las personas, y algunas veces, ellas mismas toman la iniciativa de defenderlas.

- **Aman de verdad y son amigos fieles.** Las personas proféticas no solamente aman a Dios, sino que también aman a las personas sinceramente. Cuando se hacen amigos de alguien, son fieles y leales a la persona hasta la muerte.

- **Juzgan, hablan y actúan rápidamente antes de pensar.** Algunas veces, sus juicios van de acuerdo a lo que han visto y han oído, y no piensan antes de acusar o juzgar a alguien.

"¹⁰Entonces Simón Pedro, que tenía una espada, la desenvainó, e hirió al siervo del sumo sacerdote, y le cortó la oreja derecha. Y el siervo se llamaba Malco. ¹¹Jesús entonces dijo a Pedro: Mete tu espada en la vaina; la copa que el Padre me ha dado, ¿no la he de beber?" Juan 18.10, 11

- **Tienen creencias y convicciones estrictas y rígidas.** Ven las cosas como buenas o malas, falso o verdadero, correcto o incorrecto, negro o blanco; para ellos, no hay áreas grises. Además, son personas que no comprometen sus principios, y su lema es: "hazlo ahora y hazlo correctamente".

¿Cuáles son algunos problemas que se les presentan a las personas que tienen una personalidad profética?

- La franqueza las puede hacer ofensivas y herir a otros.

- Sus convicciones las llevan a ser inflexibles. Fácilmente, pueden desarrollar áreas ciegas en su vida debido a sus opiniones.

- Cortan su relación con las personas que han pecado. Cuando ven que alguien está en pecado, su tendencia es cortarlo, y si no tienen cuidado, esas personas se pueden perder.

- Se condenan a sí mismas cuando fallan a Dios. El juicio duro y severo que hacen a otros, también lo usan para juzgarse a sí mismas.

- Corrigen a las personas que no están bajo su responsabilidad. Recordemos que no tenemos derecho de corregir a alguien si primero no tenemos una relación con esa persona. Las personas con una personalidad profética tienden a corregir y a disciplinar a todo el mundo, porque odian el pecado.

Siempre que usted reciba una palabra de Dios para corregir a alguien, debe preguntarle al Señor si le da el permiso de hacerlo en ese momento o si debe esperar; esto es parte de la sabiduría para fluir en el don profético.

- Perciben más lo negativo que lo positivo. Son más sensibles a lo malo que a lo bueno. Tienen que cuidarse de este peligro, ya que pueden estar más en contra que a favor de algo o de alguien.

¿Cuáles son las evidencias espirituales que muestran que un creyente tiene el don de profecía?

- Posee una gran sensibilidad espiritual.

- Percibe las cosas buenas y malas rápidamente, donde quiera que estén y con quien estén.

- Tiene una gran pasión por levantar al caído. Recuerde que el don de profecía es para exhortar, consolar y edificar. Por consiguiente, el creyente que tiene este don, sentirá el deseo de levantar a aquel que está caído, animar al que está desanimado y, en general, edificar la iglesia de Jesús.

- A menudo, es usado por Dios para darle palabras proféticas a las personas. Dios le deja ver, oír y sentir cosas de las personas frecuentemente sin estar buscando ni preguntando nada a Dios acerca de ellas.

- Las profecías que da a otros, se cumplen.

- Tiene una gran pasión por lo sobrenatural. Todo lo que es profético, es sobrenatural. Por tanto, aquel creyente que tiene el don de profecía tiene una gran pasión por lo sobrenatural; o sea, por los milagros, las sanidades, los prodigios, entre otros.

¿Cuáles son algunas cosas que debemos saber acerca de la profecía personal?

- **La profecía personal es parcial.** Así como la palabra del don de sabiduría es sólo una porción mínima del conocimiento y la sabiduría de Dios de las cosas futuras, así mismo es el don de profecía, que sólo muestra una pequeña revelación de la voluntad de Dios. Dios, no nos va a revelar toda nuestra vida, sino que siempre nos revelará porciones de ella para que andemos y actuemos en fe.

"⁹En parte conocemos y en parte profetizamos..." *1 Corintios 13.9*

- **La profecía personal es progresiva.** Toda profecía personal se cumple progresivamente a través de los años y es a medida del tiempo que Dios va revelando su voluntad, hasta que, finalmente, podamos ver el cuadro completo.

- **La profecía personal es condicional.** Cada profecía personal está condicionada a la obediencia de la persona que la recibe. Por eso, vemos que muchas personas mueren sin ver su profecía cumplida, porque no obedecieron lo que Dios les pidió. Sin embargo, hay profecías divinas incondicionales que incluyen todas aquellas declaraciones divinas que son irrevocables. Ellas se cumplirán en algún mo-mento, y nadie que las puede detener. Normalmente, éstas son profecías generales y no personales. Si es una profecía personal, estará condicionada a la obediencia del individuo, y si no obedece, la profecía no se cumplirá. Por ejemplo, Dios le habló a un hombre de negocios que iba a recibir millones de dólares en su mano para bendecir al reino de Dios, pero éste nunca dio dinero para el reino de Dios; no sembró, no actuó en la Palabra ni obedeció lo que Dios le pedía; entonces, en estas condiciones, la palabra profética no se pu ede cuplir. Si una persona que recibe una palabra profética no cambia su manera de pensar y sigue actuando como si nunca la hubiese recibido, esta palabra nunca se cumplirá, a menos que sea una profecía incondicional.

¿Qué son las profecías incondicionales?

Son aquellas que tienen que ver con el propósito y el plan general y universal de Dios para la humanidad. Nada ni nadie puede impedir que estas profecías se cumplan. Son profecías que Dios ya declaró y serán llevadas a cabo sin importar lo que suceda. Dios lo dijo y se cumplirá.

¿Cuáles son las profecías condicionales?

Son aquellas palabras proféticas dadas por Dios a individuos, y éstas pueden cancelarse o eliminarse si el individuo no obedece a la condición de la profecía.

Cada profecía debe ser juzgada en la congregación por dos o tres personas. Recuerde, no se juzga al profeta sino a la profecía. Algunas veces, ciertos profetas que no están viviendo bien sus vidas personales, traen palabras proféticas exactas y precisas. En la Biblia, hay un montón de ellos. El profeta no se cataloga por la exactitud de su profecía, sino por la madurez de su carácter; es decir, por el fruto del espíritu en su vida. La profecía es juzgada de acuerdo a lo siguiente:

- Cada profecía personal debe estar acorde con la palabra escrita de Dios.

"*19Tenemos también la palabra profética más segura, a la cual hacéis bien en estar atentos como a una antorcha que alumbra en lugar oscuro, hasta que el día amanezca y el lucero de la mañana salga en vuestros corazones. 20Pero ante todo entended que ninguna profecía de la Escritura es de interpretación privada, 21porque nunca la profecía fue traída por voluntad humana, sino que los santos hombres de Dios hablaron siendo inspirados por el Espíritu Santo". 2 Pedro 1.19-21*

Por ejemplo, hay personas que dicen: "Dios me dijo que deje a mi esposa y me case con otra". Eso contradice la palabra de Dios, y por tanto, no es de Dios; deséchelo. También, hay personas que usan el don profético como un medio de manipulación y control sobre las personas; aun casan a las personas, les dan llamados al ministerio, y en realidad, estas profecías son resultado de la carne; y a esto, Samuel le llamó pecado de brujería. Cada uno de nosotros, debe andar en el espíritu y tener una relación cercana con Dios para ser influenciados por el Espíritu Santo, y no por nuestra carne o por espíritus demoníacos de adivinación.

Existen tres fuentes de inspiración cuando profetizamos:

- Un espíritu demoníaco
- El espíritu humano
- El Espíritu de Dios

- Cada profecía debe armonizar con el testimonio del Espíritu. Si hay una profecía que contradice el testimonio del Espíritu con mi espíritu, es mejor que la descartemos.

- La profecía produce frutos del Espíritu. Cuando Dios usa a alguien para darnos una palabra profética, después de recibirla, nos trae más amor, más paz, nos hace más pacientes, más bondadosos y nuestra fe crece. Esto es una señal de que esa profecía es de Dios.

- Cada profecía personal debe ser confirmada por dos o tres personas. Es muy sabio que, antes de tomar una decisión acerca de algo, espere la confirmación de dos o tres personas para que como dice la Palabra: lo testifiquen otros también.

"⁹Asimismo, los profetas hablen dos o tres, y los demás juzguen lo que ellos dicen". 1 Corintios 14.29

¿Qué hacer con las profecías que recibimos?

Hay personas que dicen: "Si esta profecía es de Dios, se va a cumplir; yo la cuelgo en la pared y si no se cumple, no era de Dios". Ésa no debe ser nuestra actitud hacia las profecías que recibimos. Para que esas profecías se cumplan, tenemos que poner de nuestra parte humana.

¿Qué debemos hacer?

- **Responder en fe.** Después que usted reciba la palabra profética, empiece a actuar y a hacer lo que el Espíritu Santo le pide que haga. Él le guiará a tomar la acción correspondiente para que se cumpla lo que le prometió.

  "⁶Pero sin fe es imposible agradar a Dios, porque es necesario que el que se acerca a Dios crea que él existe y que recompensa a los que lo buscan". Hebreos 11.6

- **Obedecer a Dios.** La verdadera fe siempre está ligada a la obediencia. La obediencia es el resultado de dos cosas: el oír y el hacer. Si oímos y no hacemos lo que oímos, (la palabra profética) no se cumple.

  "²²Sed hacedores de la palabra y no tan solamente oidores, engañándoos a vosotros mismos". Santiago 1.22

Es mejor no saber, que saber y no actuar.

- **La paciencia es de gran importancia.** Una de las definiciones de paciencia es permanecer animado y constante en medio de la presión. Algunas veces, necesitaremos mucha paciencia para esperar que Dios cumpla lo que prometió. Cuando más difícil se pone la situación en nuestra vida, más pacientes debemos ser, esperando animados en medio de la crisis. El no ser paciente, le puede llevar a abortar el plan de Dios en su vida, o el enemigo le ofrecerá un Ismael antes que venga su Isaac.

"¹Saraí, mujer de Abram, no le daba hijos; pero tenía una sierva egipcia que se llamaba Agar". Génesis 16.1

Esto fue lo que le sucedió a Abraham, que después de haber esperado por doce años la palabra que Dios le había dado, se desesperó. Su mujer Sarah le dio una sugerencia: que tomara por mujer a su criada, y Abraham la tomó. Como resultado, nació Ismael, que significa: "asno salvaje", de quien viene la descendencia de los musulmanes. Esto fue producto de la desobediencia de Abraham. (Hoy día, esta desobediencia ha traído como resultado, problemas entre los musulmanes y los judíos).

"¹¹Y añadió el ángel de Jehová:—Has concebido y darás a luz un hijo, y le pondrás por nombre Ismael porque Jehová ha oído tu aflicción. ¹²Será un hombre fiero, su mano se levantará contra todos y la mano de todos contra él; y habitará delante de todos sus hermanos". Génesis 16.11, 12

Después vino su hijo Isaac, pero primero, vino Ismael por la impaciencia. El enemigo tratará de traerle un Ismael antes que Dios le traiga su Isaac, que es el hijo de la promesa.

"12a fin de que no os hagáis perezosos, sino imitadores de aquellos que por la fe y la paciencia heredan las promesas". Hebreos 6.12

¡Espere pacientemente que el Señor cumplirá lo que le ha prometido! Espere en Él y Él hará. Hay muchos matrimonios, ministros y negocios que son el resultado de la impaciencia, son un "Ismael". Pero generalmente, lo único que esto trae es contienda y división. Por eso, es que ¡vale la pena esperar en Dios!

- **Haga guerra con sus profecías.** Cada vez que recibo una profecía, hago guerra al enemigo con ella; la grabo, la escribo, la medito y se la recuerdo. Hay promesas de Dios para nuestra vida y nuestro ministerio. Cuando el enemigo le trae desánimo, recuérdele las palabras proféticas que ha recibido.

"18Este mandamiento, hijo Timoteo, te encargo, para que, conforme a las profecías que se hicieron antes en cuanto a ti, milites por ellas la buena milicia..." 1 Timoteo 1.18

- **Grabar las profecías.** Cada vez que nos den una profecía, es muy importante grabarla de inmediato.

¿Por qué es importante grabar la profecía?

- **Es un recordatorio para la persona que la recibe.** Algunas veces, estamos bajo la unción, y si la profecía es larga, después se nos hará difícil recordarla en su totalidad. Por eso, es importante grabarlas, escribirlas y meditarlas para nuestro propio beneficio.

- **Es una protección para la persona que profetiza.** Hay personas que mal interpretan las profecías sacándolas de contexto, y luego, empiezan a tomar decisiones basándose en ellas, por eso, para proteger al profeta de las malas interpretaciones es importante grabarlas.

El segundo don que está bajo la categoría de los dones de inspiración o vocales, es el don de diversos géneros de lenguas.

2. Don de diversos géneros de lenguas

¿Qué es el don de diversos géneros de lenguas?

Es la expresión sobrenatural del Espíritu Santo dada al creyente para hablar en una lengua que jamás ha aprendido y que ni siquiera es comprendida por su mente. Son lenguas personales que todo creyente puede hablar. Ésta es una de las señales que Jesús dijo que nos seguiría, y es dada especialmente para la edificación del creyente y no para la edificación del cuerpo en general, como lo es el don de interpretación de lenguas.

Hay una diferencia entre las lenguas como señal inicial del bautismo del Espíritu Santo, y el don de interpretación de lenguas para todos los creyentes.

¿Cuáles son los propósitos del don de lenguas como señal inicial al creyente cuando recibe el bautismo con el Espíritu Santo?

- Hablar en lenguas es la evidencia escritural del bautismo del Espíritu Santo.

  "4Todos fueron llenos del Espíritu Santo y comenzaron a hablar en otras lenguas, según el Espíritu les daba que hablaran". Hechos 2.4

- Hablar en forma sobrenatural con Dios.

  "2El que habla en lenguas no habla a los hombres, sino a Dios, pues nadie le entiende, aunque por el Espíritu habla misterios". 1 Corintios 14.2

- Magnificar a Dios.

  "46porque los oían que hablaban en lenguas y que glorificaban a Dios". Hechos 10.46

- Edificarnos a nosotros mismos.

"⁴El que habla en lengua extraña, a sí mismo se edifica; pero el que profetiza, edifica a la iglesia".
1 Corintios 14.4

3. Don de interpretación de lenguas

¿Qué es el don de interpretación de lenguas?

Es la manifestación sobrenatural dada por el Espíritu Santo al creyente para poder interpretar un mensaje en lengua desconocida.

¿Cuál es el propósito principal del don de interpretación de lenguas?

• **Edificar la iglesia**

"¹²Así pues, ya que anheláis los dones espirituales, procurad abundar en aquellos que sirvan para la edificación de la iglesia". 1 Corintios 14.12

Recuerde que el don de interpretación de lenguas no es una traducción literal, palabra por palabra, sino una interpretación de un mensaje en lenguas, ya sea corto o largo.

Dones de Revelación

Éstos son lo dones por medio de los cuales Dios revela algo, y son: don de palabra de ciencia o conocimiento, don de palabra de sabiduría y don de discernimiento de espíritus.

Es muy importante conocer los dones de revelación. Si deseamos caminar en lo profético, veremos operar estos dones en nosotros con frecuencia.

1. Don de palabra de ciencia o conocimiento

¿ Qué es el don de palabra de ciencia o conocimiento?

La palabra de ciencia o conocimiento es la revelación sobrenatural del Espíritu Santo en un momento específico. Revela ciertos hechos de la mente de Dios y verdades escondidas con respecto al tiempo pasado y presente de personas, lugares y cosas. Su revelación solamente se transmite de una forma sobrenatural.

¿Qué no es el don de palabra de ciencia o conocimiento?

- No es el don de conocimiento, sino el don de **palabra** de conocimiento.

- No es un conocimiento que se puede adquirir al estudiar.

- No es un conocimiento que se puede acumular a lo largo de la vida.

Existen tres niveles de conocimiento:

- **Conocimiento humano o natural.** Éste es el tipo de conocimiento que cada persona ha adquirido en la vida, por medio de experiencias y enseñanzas vividas diariamente.

- **Conocimiento bíblico.** Éste es el tipo de conocimiento que hemos adquirido mediante el estudio, la lectura y la meditación de la palabra de Dios.

- **El don de ciencia o conocimiento.** Éste es un don del Espíritu Santo, que viene en un momento específico por medio de una revelación sobrenatural. Este conocimiento no tiene nada que ver con un saber natural o bíblico; es una revelación del Espíritu Santo en un momento dado.

¿Cuál es el propósito del don de palabra de ciencia?

- **Revelar planes del enemigo.**

"12Uno de los siervos respondió: No, rey y señor mío; el profeta Eliseo, que está en Israel, es el que hace saber al rey de Israel las palabras que tú hablas en tu habitación más secreta". 2 Reyes 6.12

- **Descubrir el pecado escondido.**

"26Pero Eliseo insistió: Cuando aquel hombre descendió de su carro para recibirte, ¿no estaba también allí mi corazón? ¿Acaso es tiempo de tomar plata y tomar vestidos, olivares, viñas, ovejas, bueyes, siervos y siervas?

[27]Por tanto, la lepra de Naamán se te pegará a ti y a tu descendencia para siempre. Y salió de su presencia leproso, blanco como la nieve". 2 Reyes 5.26, 27

- **Revelar causas de enfermedades o influencias demoníacas.** En muchas ocasiones, Dios muestra la causa principal de una enfermedad en una persona, y en otras, la causa por la cual la persona no puede ser libre de una opresión satánica.

- **Revelar acerca de personas, cosas o propiedades perdidas.** En la palabra de Dios, vemos el caso específico de las asnas perdidas. El profeta Samuel le revela a Saúl el lugar exacto donde estaban las asnas.

[20]En cuanto a las asnas que se te perdieron hace ya tres días, pierde cuidado de ellas, porque han sido halladas. Además, ¿para quién es todo lo que hay de codiciable en Israel, sino para ti y para toda la casa de tu padre?" 1 Samuel 9.20

Si hay algo perdido en tu vida, pídele al Señor que te revele dónde está esa persona, cosa o todo aquello de valor que hayas perdido.

Ilustración: Mi cadena

Estaba de vacaciones en Fort Myers con mi familia, y cuando íbamos a regresar a casa, me di cuenta que no tenía una cadena de oro que llevaba conmigo. La busqué por todos lados. Me tomó como unos veinte minutos en tratar de encontrarla, pero me fue imposible. Entonces, le pregunté al Señor que dónde estaba, y al instante, tuve la im-presión de que estaba escondida en una gaveta de uno de los cuartos. Me dirigí hacia la gaveta y allí estaba la cadena. ¡Gloria a Dios!

- **Revelar secretos de las personas** para corrección, arrepentimiento y beneficio espiritual. A menudo, Dios revela ciertas cosas específicas de una persona con el propósito de cambiar su manera de vivir, que haya un arrepentimiento y que ese individuo sea bendecido.

- **Revelar causas y soluciones** en problemas de liberación, sanidad y consejería. Cuando se le da consejería a una persona, principalmente es porque hay algo muy profundo, que algunas veces, ni la misma persona sabe lo que es, y por eso, es necesario la intervención del Espíritu Santo para que revele la causa y la solución del problema.

- **Revelar una estrategia de cómo orar** por cierta situación específica. Cuando estamos orando por una situación específica, el Espíritu Santo nos revela y nos da la estrategia de cómo poder penetrar y hacer guerra por esa situación.

- **Revelar pecado y corrupción** en una persona.

"9Pedro le dijo: ¿Por qué convinisteis en tentar al Espíritu del Señor? He aquí a la puerta los pies de los que han sepultado a tu marido, y te sacarán a ti. 10Al instante ella cayó a los pies de él, y expiró. Cuando entraron los jóve-

nes, la hallaron muerta; la sacaron y la sepultaron junto a su marido". Hechos 5.1-10

- **Revelar hechos privados** en la vida de una persona.

"15La mujer le dijo: Señor, dame esa agua, para que no tenga yo sed ni venga aquí a sacarla. 16Jesús le dijo: Ve, llama a tu marido, y ven acá. 17Respondió la mujer y dijo: No tengo marido. Jesús le dijo: Bien has dicho: "No tengo marido", 18porque cinco maridos has tenido y el que ahora tienes no es tu marido. Esto has dicho con verdad. 19Le dijo la mujer: Señor, me parece que tú eres profeta. 20Nuestros padres adoraron en este monte, pero vosotros decís que en Jerusalén es el lugar donde se debe adorar". Juan 4.15-19

La palabra de ciencia tiene la habilidad de penetrar a través de todas las apariencias humanas. Es una habilidad sobrenatural dada por Dios a cada uno de los creyentes.

¿Cómo podemos operar en el don de palabra de ciencia o conocimiento?

- **Por inspiración y motivación** del Espíritu Santo. Nosotros no podemos tener esa habilidad sobrenatural si no es porque el Espíritu Santo nos da la capacidad para operarla.

- **Activado por fe.** Cuando Dios nos muestra algo de alguien o de una cosa, lo próximo que debemos hacer, es tomar un paso de fe para compartir lo que Dios nos ha dado; y de esa manera, se activa el don.

¿Cuáles son algunas evidencias que muestran que usted tiene el don de palabra de ciencia o conocimiento?

- **Cuando Dios le revela a menudo ciertas cosas de personas acerca de su pasado y su presente.** La clave para saber si se tiene este don, es que Dios le muestre con frecuencia situaciones específicas acerca de las personas, tales como: su matrimonio, su salud o sus finanzas. Algunas veces, Dios mues-tra pecados cometidos en la vida de esa persona, tanto en el pasado como en el presente. Otras veces, Dios revela motivos e intenciones del corazón de la gente para protegernos. Habrá muchas ocasiones que usted no está buscando saber nada de las personas, pero de repente, vendrá ese conocimiento de algo específico de ellas; y otras veces, será algo que le ocurra casi de continuo. Si esto le sucede, ésta es una señal que usted tiene dicho don.

- **Cuando Dios le muestra, a menudo, planes y estrategias del enemigo en contra de personas y de usted mismo.** Algunas veces, usted se dará cuenta del espíritu inmundo que está atormen-tando a una persona, y Dios le mostrará cómo entró en ella y cuál es la solución. Otras veces, la persona con este don llega a una casa y Dios le muestra objetos satá-nicos, los cuales le dan derecho legal al enemigo para permanecer en esa casa.

Recuerde que si usted tiene este don, frecuentemente el Señor le revelará cosas de personas, cosas, lugares, peligros y decisiones que debe tomar. El don opera de una manera tan común, que usted no tiene que estar buscando algo para que Dios le traiga alguna revelación. En algunos creyentes, el don de palabra de ciencia operará más fuerte que en otros. Esto es debido al llamado de Dios en la vida de esa persona. Principalmente, los profetas son los que operan en este don.

2. Don de palabra de sabiduría

¿Qué es el don de palabra de sabiduría?

Es la revelación sobrenatural que da el Espíritu Santo a una persona en un momento específico. Es decir, el Espíritu Santo, a través de este don, nos revela la mente, la voluntad y los propósitos de Dios para una persona en cuanto a eventos que le ocurrirán en el futuro.

"8A uno es dada por el Espíritu palabra de sabiduría...".
1 Corintios 12.8

¿Qué NO es el don de palabra de sabiduría?

- A este don, no se le llama el don de sabiduría, sino el don **de palabra** de sabiduría.

- No es la sabiduría humana adquirida a través de la vida.

- No es la sabiduría divina adquirida a través de los años por medio de la Biblia.

¿Cuáles son lo tres niveles de sabiduría?

Sabiduría natural o mundana. Éste es el tipo de sabiduría adquirida por las experiencias buenas y malas que hemos tenido en la vida.

Sabiduría divina o bíblica. La palabra de Dios nos da la capacidad de adquirir sabiduría en cada una de las áreas de nuestra vida, tales como: la familia, el dinero, las amistades, entre otros.

El don de palabra de sabiduría. Éste es el don del Espíritu Santo que revela a las personas el propósito y la voluntad de Dios de eventos futuros. La mayor parte de las veces, la palabra de ciencia y la palabra de sabiduría operan juntas. Una revela situaciones y even-tos del pasado y del presente, y la otra revela situacio-nes y eventos futuros. Cuando viene una palabra pro-fética que nos habla del futuro, algunas veces, está acompañada de una palabra de sabiduría. Hay perso-nas que a todo le llaman profecía. Recuerde que son nueve dones en operación.

¿Cuál es el propósito del don de palabra de sabiduría?

* **Advertir un peligro** y evitar sufrir daño.

"¹²Pero siendo avisados por revelación en sueños que no volvieran a Herodes, regresaron a su tierra por otro camino". Mateo 2.12

Dios nos mostrará peligros futuros para que podamos tomar las medidas correctas y no caigamos en la trampa del enemigo.

- **Avisar** de juicios y bendiciones venideras.

"¹²Después dijeron los huéspedes a Lot: ¿Tienes aquí alguno más? Saca de este lugar a tus yernos, hijos e hijas, y todo lo que tienes en la ciudad, ¹³porque vamos a destruir este lugar, por cuanto el clamor contra la gente de esta ciudad ha subido de punto delante de Jehová. Por tanto, Jehová nos ha enviado a destruirla".
Génesis 19.12, 13

- **Confirmar y dar a conocer** un llamado divino.

Algunas veces, el Señor usará el don de palabra de sabiduría para hacer saber su voluntad y su propósito con referencia al llamado divino de una persona.

- **Asegurar bendiciones** que han de venir.

Algunas veces, desmayamos con respecto a las promesas que Dios nos ha dado, pero Él, mediante una palabra de sabiduría, nos da la seguridad de que esas promesas se cumplirán.

¿Cómo operar en el don de palabra de sabiduría?

- **Por medio de una inspiración o motivación del Espíritu Santo.**

Es el Espíritu Santo que nos da la habilidad para poder conocer aspectos positivos y negativos de las personas.

- **Al ser activado por fe.**

Como todas las cosas de Dios se hacen y se activan por fe, de esta misma manera, operamos este don.

¿Cuáles son las evidencias que muestran que un creyente tiene el don de palabra de sabiduría?

- Cuando Dios le revela frecuentemente planes y cosas acerca de personas que tienen que ver con el futuro de los mismos.

- Cuando, a menudo, Dios le avisa de peligros, bendiciones y juicios futuros para personas o naciones.

- Cuando Dios le revela y le confirma palabras de bendiciones que están operando en las personas.

Si usted nunca se ha movido en los dones de palabra de ciencia y sabiduría, comience hoy y el Señor honrará su fe.

3. Don de discernimiento de espíritus

¿Qué es el don de discernimiento de espíritus?

Es la habilidad sobrenatural dada a una persona por el Espíritu Santo, para poder entender, percibir, reconocer y ver los espíritus, ya sea de una persona o de cualquier lugar. Este don tiene la habilidad de penetrar el mundo espiritual y reconocer los espíritus, tanto buenos como malos.

El don de discernimiento de espíritus incluye cuatro aspectos:

- *Entender* cómo los espíritus operan.
- *Percibir* cuándo hay espíritus operando.
- *Reconocer* los espíritus.
- *Ver* los espíritus.

¿Qué no es el don de discernimiento de espíritus?

- No es leer el pensamiento y la mente de una persona.
- No es descubrir los pecados de otros.
- No es solamente ver demonios.

Me he encontrado con muchas personas que dicen tener el don de discernimiento de espíritus, pero todo lo que ven es malo. Este don nos sirve para identificar los diferentes tipos de espíritus, tanto los buenos como los malos.

¿Cuáles son los tres niveles de discernimiento?

Discernimiento natural. Cada ser humano tiene un nivel de percepción natural dada por Dios. El Señor hizo al ser humano con un espíritu, y aunque tenga una naturaleza caída, todo hombre y mujer tiene la habilidad de percibir algo en el espíritu.

Discernimiento psíquico. Esta clase de discernimiento tiene que ver con el alma del individuo. La percepción es de la mente y las emociones.

Discernimiento espiritual o discernimiento de espíritus. Esto abarca muchas cosas, tales como: juzgar correctamente lo que hay en el corazón, percibir espíritus buenos y malos y, al mismo tiempo, poder ver más allá de la atmósfera física para penetrar y ver el mundo espiritual.

¿Cuáles son algunos de los propósitos del don de discernimiento de espíritus?

- *Liberar* los oprimidos por el enemigo.

  Dios nos muestra los espíritus que atormentan a las personas, para que los liberemos de toda opresión del enemigo.

  "¹⁸El Espíritu del Señor está sobre mí, por cuanto me ha ungido para dar buenas nuevas a los pobres; me ha enviado a sanar a los quebrantados de corazón, a pregonar libertad a los cautivos y vista a los ciegos, a poner en libertad a los oprimidos...". Lucas 4.18

- *Descubrir* los siervos del diablo.

  Hoy día, hay muchos satanistas que se meten en la iglesia para hacer daño a los creyentes. Por esa razón, necesitamos operar en este don y descubrir a los siervos del diablo.

*"11Ahora, pues, la mano del Señor está contra ti, y quedarás ciego y no verás el sol por algún tiempo. Inmediatamente cayeron sobre él oscuridad y tinieblas; y andando alrededor, buscaba quién lo condujera de la mano. 12Entonces el procónsul, viendo lo que había sucedido, creyó, admirado de la doctrina del Señor".
Hechos 13.11, 12*

- *Exponer* el error.

Continuamente, vemos espíritus de error operando y trayendo división en el cuerpo de Cristo, pero pueden ser detectados por medio de este don.

*"1Pero el Espíritu dice claramente que, en los últimos tiempos, algunos apostatarán de la fe, escuchando a espíritus engañadores y a doctrinas de demonios..."
1 Timoteo 4.1*

- *Resistir* el adversario.

Al enemigo, no se le puede resistir con nuestras propias fuerzas, sino con los dones del Espíritu Santo.

- *Revelar la existencia* de principados y potestades sobre áreas geológicas.

- *Revelar la dirección y el fluir que el Espíritu Santo tiene para un servicio.* Algunas veces, los pastores realizamos los servicios de nuestra iglesia siguiendo un programa humano, y no le damos libertad al Espíritu Santo para que nos guíe y nos hable. Sin embargo, mediante el ejercicio de este don, podemos recibir dirección por parte del Espíritu Santo.

- *Revelar las intenciones y los motivos que hay en el espíritu humano.* Jesús pudo detectar los motivos y las intenciones de los religiosos de su tiempo.

¿Cómo usted sabe que tiene el don de discernimiento de espíritus?

- **Cuando, a menudo, usted percibe y ve el mundo espiritual.** Hay personas que operan en este don, porque Dios les muestra frecuentemente el porqué de las acciones de las personas, qué clase de espíritu les influencia y, en muchas ocasiones, el Señor les deja ver el espíritu en el mundo espiritual.

- **Cuando usted es muy sensible al mundo espiritual.** Algunas veces, donde quiera que va, percibe y ve cosas en el espíritu.

Cuando una persona tiene el don de discernimiento de espíritus, existe una línea muy fina de percepción entre lo espiritual y lo natural, y si no tiene cuidado, se vuelve demasiado sensible (más a lo malo que a lo bueno), percibe todo, siente todo y, finalmente, se le vuelve una carga difícil de manejar.

Creo que el don de discernimiento de espíritus es indispensable para un pastor, ya que pueden venir muchas personas disfrazadas de ángel de luz para apartar a sus ovejas del rebaño.

CAPÍTULO VI

ฅฅฅ

Los Dones de Motivación o Dones de Ayuda

ฅฅฅ

*H*emos estudiado muchos aspectos acerca de los cinco dones ministeriales, y concluimos que éstos son una extensión del ministerio de Jesucristo aquí en la tierra, que las personas que son llamadas a ocupar estas oficinas ministeriales deben dedicarse exclusivamente a su llamado. Hoy día, todos los apóstoles, profetas, maestros, evangelistas y pastores están funcionando a plenitud en el cuerpo de Cristo, porque han sido restaurados últimamente. Mencionamos que estos dones o llamados ministeriales son los de mayor rango o autoridad en el cuerpo de Cristo. También, hablamos de los dones del Espíritu Santo, los cuales son habilidades o dones dados a cada creyente por el Espíritu Santo, para equi-parlos con habilidades sobrenaturales. Es de hacer notar que los dones ministeriales son llamados "dones minis-teriales u oficinas ministeriales".

Pasemos ahora a estudiar los dones de motivación o de ayuda, que son la tercera categoría de los dones. La razón por la cual tomamos en cuenta todos los dones, es para que el creyente estudie, escudriñe y descubra cuál es su don. Es mi deseo que, después de leer este libro, usted pueda desarrollar sus dones.

"⁶Tenemos, pues, diferentes dones, según la gracia que nos es dada: el que tiene el don de profecía, úselo conforme a la medida de la fe; ⁷el de servicio, en servir; el que enseña, en la enseñanza;

⁸el que exhorta, en la exhortación; el que reparte, con genero-sidad; el que preside, con solicitud; el que hace misericordia, con alegría". Romanos 12.6-8

¿Qué son los dones de ayuda o motivación?

Son los dones que Dios ha dado a cada creyente, motiván-dolos a la acción y a ayudar al cuerpo de Cristo. Estos do-nes son diferentes a los dones ministeriales y los dones del Espíritu Santo.

¿Qué NO son dones de motivación o de ayuda?

- **No son talentos naturales.** Hay muchas personas que confunden los dones de ayuda o de motivación con los talentos naturales, o sea, con los cuales se nace.

- **No son dones de ministerio.** Como estudiamos ante-riormente, los dones de ministerio son oficinas minis-teriales y son diferentes a los dones de ayuda o motivación.

- **No son frutos del Espíritu.** La palabra de Dios nos habla específicamente acerca de cuál es el fruto del espíritu, y estos dones no tienen nada que ver con los frutos del espíritu.

¿Qué son los dones de ayuda o motivación?

- **Estos dones son dados por el Espíritu Santo por medio de su gracia.**

"¹⁰Cada uno según el don que ha recibido, minístrelo a los otros, como buenos administradores de la multiforme gracia de Dios". 1 Pedro 4.10

* **Estos dones son dados cuando la persona nace de nuevo.** En el momento que se recibe a Jesús como Señor y Salvador, en ese instante, son activados por el poder del Espíritu Santo.

* **Los dones de ayuda son habilidades dadas específicamente al creyente.** Cada uno de nosotros tiene que descubrirlos y desarrollarlos.

¿Cuáles son los dones de ayuda o dones de motivación?

Dones de motivación o dones de ayuda		
Don de servicio	Don de ayuda	Don de celibato
Don de exhortación	Don de hospitalidad	Don de pobreza
Don de repartidor o dador	Don de intercesión	Don de mártir
Don de liderazgo	Don de la música	Don de liberación y de sanidad interior
Don de misericordia	Don de las artes	Don de misionero
Don de administración	Don de danza	

"⁶Tenemos, pues, diferentes dones, según la gracia que nos es dada: el que tiene el don de profecía, úselo conforme a la medida de la fe; ⁷el de servicio, en servir; el que enseña, en la enseñanza; ⁸el que exhorta, en la exhortación; el que reparte, con generosidad; el que preside, con solicitud; el que hace misericordia, con alegría". Romanos 12.6-8

Don de servicio

¿Qué es el don de servicio?

E s un don del Espíritu Santo dado al creyente. Es una habilidad para ver las necesidades de otros y tener el deseo de suplirlas.

"30porque por la obra de Cristo estuvo próximo a la muerte, exponiendo su vida para suplir lo que os faltaba en vuestro servicio por mí". Filipenses 2.30

El mayor gozo de las personas que tienen el don de servicio, es seguir instrucciones y asistir a otros en lo que necesitan. Su mayor propósito es ayudar a incrementar la efectividad de otras personas y ministerios.

¿Cuáles son las evidencias que presentan los creyentes que tienen el don especial de servicio?

• Les gusta hacer las cosas detrás de las cortinas.

• No les gusta ser mencionados en público.

• Los que sirven son más hacedores que delegadores.

• Tienen dificultad para decir "NO": Como resultado de tantos compromisos que hacen, pierden el enfoque de las prioridades; algunas veces, quedan mal porque no pueden cumplir con todo.

• Se gozan en proveer para las necesidades físicas y emocionales de otros.

"¹⁶Tenga el Señor misericordia de la casa de Onesíforo, porque muchas veces me confortó y no se avergonzó de mis cadenas, ¹⁷sino que, cuando estuvo en Roma, me buscó solícitamente y me halló. ¹⁸Concédale el Señor que halle misericordia cerca del Señor en aquel día. Y cuánto nos ayudó en Éfeso, tú lo sabes mejor". 2 Timoteo 1.16-18

- Los que sirven son los primeros que van al hospital cuando un hermano se enferma. No solamente lo visitan sino que le sirven en su casa, con su familia, preparándole comida y demás.

- Tienen gran necesidad de ser apreciados. Ésta es una evidencia muy notable, esperan ser afirmados y apreciados continuamente.

- Un servidor desea que su líder le afirme, especialmente, cada vez que ha finalizado una tarea. Ellos desean que se mencione la importancia de servir.

- Disfrutan de la hospitalidad. Se gozan hospedando personas en sus hogares.

- Cuando alguien está de visita en su casa, lo atienden, le sirven y lo hacen con gran gozo. Manifiestan su amor por medio del servicio; manifiestan más el amor con hechos que con palabras.

- Son orientados hacia los detalles. Dios les ha dado la habilidad de ver o identificar los pequeños detalles, ya sea en un proyecto, en la iglesia o en el hogar.

- Ellos son ordenados y perfeccionistas; odian la desorganización y la suciedad. Después y antes de una fiesta, ellos se ofrecen a limpiar y a ayudar porque están dispuestos a servir siempre.

- Tienen la tendencia de sentirse inadecuados y no calificados para las posiciones de liderazgo. La razón de esto es porque todo el tiempo están sirviendo y siguiendo órdenes, y por eso, piensan que no tienen la habilidad para ser líderes ni para dar órdenes a otros.

  Antes de dar órdenes y ser líderes sobre otros, tenemos que aprender a ser seguidores y a cumplir órdenes.

¿Cuáles son algunos problemas que presentan las personas con el don de servicio?

- **Llegan a estar tan ocupadas ayudando a otros, que descuidan las responsabilidades de su hogar.** Los que tienen el don de servicio tienden a olvidarse de su propia comodidad y aun de su propia familia, con tal de ayudar a otros.

- **Aceptan demasiados trabajos al mismo tiempo y les cuesta decir que "NO".** En su corazón, siempre tienen el deseo de ayudar a otros. Esto les trae muchas complicaciones y los conduce a los siguientes peligros:

  - Se cansan **espiritual y físicamente.**

  - Toman más responsabilidades de las que pueden manejar, y se envuelven en demasiados trabajos.

- ❏ Sus sentimientos son heridos fácilmente. Cuando no se les aprecia ni se les valora su servicio o cuando no son reconocidos, se hieren.

- ❏ Se resienten con las personas que no están dispuestas a servir.

- ❏ Tienden a excluir a otros del trabajo.

- ❏ Usualmente, les gusta hacer el trabajo solos y no aceptan la ayuda de los demás.

- ❏ Son persistentes en ofrecer ayuda cuando no es requerida.

- ❏ Su deseo es suplir cualquier necesidad, y cuando aparece una, ellos insisten en suplirla allí mismo aunque no se lo pidan.

¿Cuáles son algunas correcciones para aquellos que tienen el don de servicio?

- • Necesitan ser guiados por el Espíritu Santo. No deben ser impulsados por las necesidades solamente, para que cuando les toque el turno de servir, puedan estar disponibles.

- • Deben orar primero y entonces decidir por un "sí" o un "no". Tienen que ser necesidades que Dios les ponga en el corazón.

- • Necesitan recordar siempre que su servicio es para Dios y no para los hombres.

- Cuando sirvan a alguien, deben hacerlo como para el Señor. Si no son apreciados ni reconocidos, no deben ofenderse sino seguir hacia adelante.

Se cree que aproximadamente el 17% del cuerpo de Cristo tiene el don de servicio.

Don de exhortación

¿Qué es el don de exhortación?

Es un don dado por el Espíritu Santo al creyente para **animar, consolar, fortalecer** y hacer un llamado a todos lo miembros del cuerpo de Cristo para acercarse a Dios.

"²²confirmando los ánimos de los discípulos, exhortándolos a que permanecieran en la fe y diciéndoles: Es necesario que a través de muchas tribulaciones entremos en el reino de Dios".
Hechos 14.22

"⁸el que exhorta, en la exhortación; el que reparte, con generosidad; el que preside, con solicitud; el que hace misericordia, con alegría". Romanos 12.8

Un creyente que tiene el don de exhortación y encuentra un creyente desanimado, caído y sin deseos de seguir hacia adelante, inmediatamente, comienza a exhortarlo y a consolarlo. También, le ayuda para que se acerque al Señor y para que siga confiando en Él. Después de sus palabras, la persona se siente restaurada, animada y sigue hacia adelante.

¿Cuál es el propósito principal del don de exhortación?

- El propósito principal de este don es traer salud emocional y espiritual por medio de palabras ungidas.

¿Cuáles son las evidencias que muestran los creyentes que tienen el don de exhortación?

- **Son personas que siempre tienen una actitud positiva, son motivadores por naturaleza.** Cuando una persona está cerca de un exhortador, siempre encuentra una palabra de ánimo y de consuelo.

- **Tienen una pasión grande por ver a los demás madurar y progresar.** Se alegran y se gozan cuando ven a otros crecer y prosperar espiritualmente. Su deseo y su pasión es que el cuerpo de creyentes progrese.

- **Los exhortadores son prácticos, positivos y optimistas;** siempre miran el lado brillante y las posibilidades.

- **A ellos, les gusta seguir los pasos a, b, c y 1, 2, 3.** Siempre están buscando que les den los pasos de los "cómo". Algunas veces, necesitan ver el progreso de las personas que están ayudando.

- **Los exhortadores tienen una gran compasión por los desanimados y caídos.**

- **Aman a las personas y disfrutan conversar con ellas;** su gozo es verlas salir de los problemas.

- **Un exhortador es un gran evangelizador de uno en uno.** La mayor parte de los exhortadores son de temperamento sanguíneo y tienen una personalidad extrovertida; por tanto, son grandes ganadores de almas, especialmente, en el evangelismo personal (de uno en uno).

- **Los exhortadores tienen la habilidad de explicar la verdad con razonamiento lógico.** Ellos toman las experiencias de la vida diaria y las respaldan con la pa-labra de Dios de una manera lógica, clara y siguiendo paso por paso.

- **El exhortador tiene la habilidad de discernir** dónde está el nivel espiritual de una persona y cómo hablarle en ese nivel. Un ejemplo de esto lo fue el apóstol Pablo, quien discernía el nivel de madurez de los corintios.

"[1]De manera que yo, hermanos, no pude hablaros como a espirituales, sino como a carnales, como a niños en Cristo". 1 Corintios 3.1

¿Cuáles son algunos peligros cuando se usa incorrectamente el don de exhortación?

- Tratar a la familia y a los amigos como proyectos y no como personas. Los exhortadores ponen mucha confianza en los pasos para tomar una acción. Ellos están listos para compartir estos pasos con la familia y amigos, en vez de hacerlos sentir especiales como personas. Algunas veces, ellos dan la impresión a sus familias y a sus amigos que son solamente un proyecto de consejería.

- Pueden perder el énfasis en la doctrina básica de la Biblia. El exhortador, si no tiene cuidado, pondrá ma-yor atención en las ilustraciones de la vida diaria, que en la doctrina básica de la Biblia.

- Dar consejería antes de discernir qué tipo de problema tiene el individuo. Los exhortadores tienden a categorizar los problemas en su mente antes de ir a los hechos.

¿Quién fue un exhortador en la Biblia? El apóstol Pablo.

Se cree que aproximadamente un 16% del cuerpo de Cristo son exhortadores.

Don de repartidor o dador

"8...el que reparte, con liberalidad..." Romanos 12.8

¿Qué es el don de repartidor o dador?

Es un don dado por el Espíritu Santo al creyente para contribuir y dar sus recursos financieros y materiales para la obra de Dios, con alegría y liberalidad.

¿Cuáles son las evidencias que muestran los creyentes que tienen el don de repartidor o dador?

- **Aman el dar y lo hacen con alegría.** Ellos creen que Dios es la fuente máxima de su provisión, y que ellos son canales de distribución de recursos para el reino de Dios.

- **Cuando dan para Dios, lo hacen anónimamente.** Ellos entienden que su recompensa viene de Dios y no de los hombres; por eso, no les gusta ser mencionados en público.

- **Dan desinteresadamente.** No esperan sembrar para conseguir algo. Cuando dan, lo hacen con alegría, en privado y sin interés alguno.

- **Tienen la habilidad para discernir y hacer inversiones sabias.** La razón de esto, es que ellos quieren tener más dinero disponible para dar al Reino.

- **Dan generosa y liberalmente.** Ellos son personas que, continuamente, están dando para la obra de Dios. Siempre dan en cantidades grandes de acuerdo a su situación financiera. Cuando dan regalos, éstos son de alta calidad.

- **Tienen la habilidad de ver dónde están las necesidades financieras, mientras que otros las pasan por desapercibidas.** Ellos no solamente ven la necesi-dad, sino que en el momento oportuno, hacen algo para resolver-la.

- **Tienen una fuerte pasión para los negocios.** Ellos son prácticos, económicos y sabios. No pueden ser engaña-dos fácilmente.

- **Todo lo que tocan se vuelve oro.** Donde quiera que empiezan un negocio o un trabajo, Dios bendice sus manos y su trabajo, porque recuerde: Dios quiere usar-lo como instrumento para contribuir financiera-mente a su Reino.

¿Cuáles son algunos peligros que pueden tener las personas con el don de repartidor o dador si lo usan mal?

- Tratar de usar el dinero para controlar o manipular las personas.

- Algunas veces, pueden ser muy tacaños con su propia familia.

- No seguir la guianza del Espíritu Santo para dar.

- Corromper a las personas o a los ministros con regalos. Los dadores siempre correrán el riesgo de corromper a las personas con el dinero. Aquellos que lo reciben, fácilmente pueden empezar a poner su mirada en el hombre dador y quitar la mirada de Dios.

¿Quién fue un repartidor en la Biblia? Mateo, el apóstol.

Se cree que solamente el 6% del cuerpo de Cristo tiene el don de dador o repartidor.

Don de liderazgo

"8Si el dirigir, que dirija con esmero"; si el que preside, con solicitud". Romanos 12.8

¿Qué es el don de liderazgo?

E s un don especial dado por el Espíritu Santo al creyente para influenciar, guiar e inspirar a otros a alcanzar sus metas, sus propósitos y su destino.

¿Cuál es el propósito principal del don de liderazgo?

* El propósito principal es **influenciar, inspirar y motivar** a las personas para que conozcan el llamado de Dios en sus vidas y conducirlos a su destino.

¿Cuáles son las evidencias que muestran los creyentes que tienen el don de liderazgo?

* Tienen la habilidad sobrenatural de planificar, organizar, dirigir y controlar recursos y personas. Ellos tienen un lema y es: "Yo hago que las cosas sucedan".

* Tienen la habilidad de ver la figura global.

* Son personas visionarias y siempre tienen un proyecto en mano.

* Los líderes hacen que las cosas sucedan. Cuando otros no pueden llevar a cabo los proyectos, ellos llegan y hacen que ocurran.

❏ Tienen una gran habilidad para tratar con las personas. Ellos saben inspirar, animar y tratar correctamente a sus seguidores.

❏ No dependen de la aprobación de otros para continuar.

❏ Tienen la habilidad de saber qué deben y qué no deben delegar a otros.

❏ Afirman continuamente a las personas que están a su alrededor.

❏ Tienen la habilidad de tomar iniciativa propia.

❏ Pueden manejar la crítica efectivamente.

❏ Tienen una habilidad natural para tomar decisiones, y por esta razón, otros le piden su opinión.

¿Cuáles son algunos peligros cuando se utiliza mal el don de liderazgo?

• Pueden volverse muy **perfeccionistas y adictos al trabajo**.

• Tienden a tomar una **mala actitud** hacia otros que no son líderes.

• Pueden llegar a **menospreciar** a aquellos que tienen el don de servicio o ayuda.

• Pueden llegar a **usar las personas** para cumplir objetivos personales.

- Tienden a **apreciar más el carisma que el carácter;** especialmente de aquellos trabajadores que son muy valiosos.

¿Cuál es la solución o sugerencia para el que tiene el don de liderazgo?

- Cuando alcance una meta, debe detenerse por un tiempo para continuar con otro proyecto.

- Ver a las personas como un proyecto de crecimiento y madurez.

Solamente el 13% del cuerpo de Cristo tiene el don de liderazgo.

Don de misericordia

"⁸El que hace misericordia, con alegría". Romanos 12.8

"³³Pero un samaritano que iba de camino, vino cerca de él y, al verlo, fue movido a misericordia". Lucas 10.33

¿Qué es el don de misericordia?

*E*s un don del Espíritu Santo dado al creyente, que le permite identificar y consolar a aquellos que están en angustia y dolor, tanto físico como emocional, y aliviar su sufrimiento.

¿Cuál es el propósito principal del don de misericordia?

• Traer alivio, consuelo y esperanza a aquellos que están en dolor y ayudarlos a restaurarse.

¿Cuáles son algunas evidencias que muestran los creyentes que tienen el don de misericordia?

• Son muy sensibles al dolor emocional y físico de los demás. Se distinguen porque sienten gran compasión por aquellos que están sufriendo. Tienen una enorme capacidad y deseo de demostrar el amor, sanar heridas y aliviar el dolor. Ellos actúan con el corazón y no con la cabeza.

• Los sentimientos de las personas son más importantes para ellos que lo que ellos hagan. No les gusta herir los sentimientos de los demás, y se cuidan mucho para no hacerlo.

- Evitan a toda costa las confrontaciones. No les gusta confrontar o estar en medio de peleas, y por lo general, son grandes pacificadores.

- Restauran con amor a aquellos que caen en una falta. Cuando el mundo condena a esa persona, ellos siguen creyendo en ella y le dan otra oportunidad para ser restaurada.

- Tienen una necesidad grande de ser aceptados por medio de un acercamiento físico y tiempo de calidad.

- Tienden a ser muy emocionales, y son atraídos por las personas que les ofrecen amor.

- Los creyentes con el don de misericordia son los más heridos en el cuerpo de Cristo. Ellos tienen la habilidad de sentir el amor genuino. Se entregan totalmente, y por eso, algunas veces son muy heridos por otros.

¿Cuáles son algunos problemas de las personas que tienen el don de misericordia?

- Fallan cuando hay que ser firmes y decisivos.

- No pueden confrontar con firmeza y la razón de esto, es que ellos tratan y evitan herir a alguien.

- Cuando otras personas han sido heridas, ellas toman las ofensas como personales.

- A menudo, su amabilidad es mal interpretada por el sexo opuesto.

- Son muy posesivos con sus amistades.

¿Quién tiene el don de misericordia en la Biblia? El apóstol Juan.

Se estima que solamente el 30% del cuerpo de Cristo tiene el don de misericordia.

Don de administración

"²⁸Los que administra…" 1 Corintios 12.28

¿Qué es el don de administración?

*E*s un don especial dado por el Espíritu Santo al creyente para coordinar y organizar personas y proyectos. La persona con el don de administración tiene la habilidad de establecer metas y objetivos claros de acuerdo con la voluntad de Dios. También, tiene la habilidad de traer un grupo de personas, ponerlos de acuerdo y llevarlos a cumplir un proyecto para el reino de Dios.

¿Cuál es el propósito del don de administración?

Asegurar que los sueños, planes, metas y objetivos se lleven a cabo de una manera efectiva y para la gloria de Dios.

¿Cuáles son las evidencias que muestra un creyente que tiene el don de administración?

- Tiene una gran habilidad para tratar con las personas. El resultado de tratar bien a los demás y llevarse bien con el pueblo, le da la habilidad de ejercer autoridad sobre ellos y llevarlos a trabajar juntos para llevar a cabo un proyecto.

- Tiene la habilidad de identificar fuentes disponibles y necesarias para alcanzar las metas.

DESCUBRA SU PROPÓSITO Y SU LLAMADO EN DIOS

- Tiene la capacidad de desmenuzar un proyecto y llevarlo a cabo.

- Es capaz de visualizar un proyecto antes que esté terminado.

- Disfruta planificar y establecer metas a corto y a largo plazo. El creyente con el don de administración es un planificador por naturaleza. Es muy detallista y planifica con mucha anticipación. No empieza un proyecto hasta que tenga todos los recursos disponibles.

- Tiene la habilidad de saber a quién pueden delegar y a quién no.

- Posee la habilidad de manejar diferentes proyectos al mismo tiempo sin desesperarse.

- No se despega de un proyecto hasta que lo termina.

¿Cuáles son algunos peligros de utilizar mal el don de la administración?

- Tienen la tendencia a enfocarse demasiado en los proyectos naturales más que en las cosas espirituales: La personas con el don de administración general-mente se enfocan en los planes y en los proyectos físicos, pero descuidan su vida espiritual, su relación con Dios y su crecimiento espiritual.

- La persona con el don de administración tiene la tendencia de darle prioridad a los proyectos antes que a las personas.

- Delegan demasiado trabajo a otros. Este don se caracteriza por tener la habilidad de delegar trabajos a otros. Como resultado, pueden perder un proyecto, porque llegan a delegar tanto, que al final él o ella no hacen nada. Las personas que trabajan con él o con ella se resienten y se hieren.

- Pasan por alto serias faltas de carácter en las personas, con tal de llevar a cabo el proyecto.

- Algunas veces, muestran mucho favoritismo con aquellos que son más fieles.

¿Cuál es la corrección para las personas que tienen el don de administración y así puedan ser de bendición para el cuerpo?

- **Colocar su relación con Dios como su prioridad principal.** Esto le ayudará a hacer los proyectos con el temor de Dios, con la sabiduría de Dios y sobretodo, le ayudará a tomar decisiones en el espíritu para que todos los proyectos salgan bien.

- **Entender que las personas son más valiosas que los edificios.** Los edificios sin las personas de nada sirven, pero tener personas sin los edificios sí sirve para mucho. La iglesia no es el edificio sino las personas; es más importante la meta que los proyectos.

¿Quién tenía el don de la administración en la Biblia?
Nehemías y Tito.

"⁵Por esta causa te dejé en Creta, para que corrigieras lo deficiente y establecieras ancianos en cada ciudad, así como yo te mandé". Tito 1.5

Solamente el 13% del cuerpo de Cristo tiene el don de administración.

Don de ayuda

"²⁸Los que ayudan". 1 Corintios 12.28

¿Qué es el don de ayuda?

Es un don del Espíritu Santo dado al creyente para apoyar, trabajar y servir a otras personas y ministerios, con el propósito de aumentar su efectividad. La palabra ayuda es el vocablo griego *"antilambano"*, que significa tomar, tomarse mutuamente de la mano, apoyar, asistir; también, significa levantar las manos para que no caigan, rendir asistencia.

Según vemos en esta definición, el ministerio de ayuda trabaja en conjunto con el don de servicio. Éstos no son dones de liderazgo que están al frente dirigiendo, sino dones de apoyo, de asistencia, que sin ellos, los dones que lideran, no podrían funcionar. Yo puedo describir algunas personas con el don de ayuda para mi vida, por ejemplo: aquellos que corrigen y editan mis libros, mi secretaria que me ayuda a planificar mi agenda, entre otros.

¿Cuál es el propósito principal del don de ayuda?

- Asistir, apoyar, levantar las manos de otras personas y ministerios para aumentar su efectividad y alcanzar sus metas.

¿Cuáles son las evidencias que muestran los creyentes que tienen el don de ayuda?

- Poseen un espíritu sirviente. Su actitud es siempre servir a las personas sin esperar recompensa de alguien.

- Disfrutan asistir o ayudar a otros para cumplir con un trabajo específico.

- Tienen la tendencia de hacer las cosas detrás de las cortinas.

- Siempre están disponibles para servir a cualquier hora y en cualquier momento. Son personas que están dispuestas a hacer cualquier cosa.

- Los creyentes con el don de ayuda son fieles y confiables en sus trabajos.

- Tienden a buscar algo para ayudar todo el tiempo y donde quiera que vayan.

¿Cuáles son algunos peligros de usar mal el don de ayuda?

- No pueden decir que no: Cuando se les pide ayuda, ellos siempre están para apoyar. Algunas veces, hacen tantos compromisos que quedan mal con las personas, y esto les acarrea problemas como persona y en su familia.

- Se fijan más en los pequeños detalles que en la figura global.

- Se ofenden cuando otros no sirven como ellos.

- Tienden a descuidar su relación con Dios por servir a las personas.

¿Cuáles son algunas correcciones para las personas que tienen el don de ayuda?

- Aprender a decir que no.

- No hacer tantos compromisos, para que su relación con Dios no se afecte.

¿Quién tiene el don de ayuda en la Biblia? La hermana Febe.

"¹Os recomiendo, además, a nuestra hermana Febe, diaconisa de la iglesia en Cencrea. ²Recibidla en el Señor, como es digno de los santos, y ayudadla en cualquier cosa en que necesite de vosotros, porque ella ha ayudado a muchos y a mí mismo".
Romanos 16.1, 2

Sólo el 17% del cuerpo de Cristo tiene el don de ayuda.

LOS DONES DE MOTIVACIÓN O DONES DE AYUDA

Don de hospitalidad

"⁹Hospedaos los unos a los otros sin murmuraciones".
1 Pedro 4.9

"¹Permanezca el amor fraternal. ²No os olvidéis de la hospitalidad, porque por ella algunos, sin saberlo, hospedaron ángeles".
Hebreos 13.1, 2

¿Qué es el don de la hospitalidad?

*E*s un don del Espíritu Santo dado a un creyente para hacer que las personas se sientan como en casa: cuidadas y como parte de la familia. El don de hospitalidad le da la bienvenida al extranjero, al extraño, a la viuda, entre otros. Algunas veces, el don de hospitalidad trabaja juntamente con el don de servicio. Lo más hermoso que le puede suceder a una persona, es ir a visitar la casa de alguien que tiene el don de hospitalidad, pues ésta le da la bienvenida, le ofrece comida y se entrega por completo para hacer que el invitado se sienta bien. Una cosa es ser hospitalario y otra cosa es tener el don de hospitalidad.

¿Cuál es el propósito principal del don de hospitalidad?

- Crear e invitar a un ambiente donde las personas son animadas a ser ellas mismas, a sentirse libres y que son valiosas en el cuerpo.

¿Cuáles son las evidencias que muestran los creyentes que tienen el don de hospitalidad?

❑ Voluntariamente, abren las puertas de su casa para hospedar a otros.

❑ Disfrutan que otros se sientan bien atendidos y cuidados, mientras están en su hogar.

❑ Muchas personas son atraídas a ellos para buscar hospedaje en su casa.

❑ El hospedador se preocupa más en dar que en recibir, cuando tiene personas hospedadas en la casa.

❑ Ellos dan sin esperar algo a cambio.

¿Cuáles son algunos peligros cuando se le da un mal uso al don de hospitalidad?

• Traer personas extrañas con malas intenciones que después les causen problemas.

• Cuando se hospedan demasiadas personas por mucho tiempo, puede traer problemas con la familia y con sus amistades cercanas.

• Hospedar personas que solamente le sean de bendición a ellos, y si no, no los hospedan.

¿Quién tenía el don de hospitalidad en la Biblia? Lidia

"*14Entonces una mujer llamada Lidia, vendedora de púrpura, de la ciudad de Tiatira, que adoraba a Dios, estaba oyendo. El Señor le abrió el corazón para que estuviera atenta a lo que Pablo decía, 15y cuando fue bautizada, junto con su familia, nos rogó diciendo:—Si habéis juzgado que yo sea fiel al Señor, hospedaos en mi casa. Y nos obligó a quedarnos". Hechos 16.14, 15*

Don de la intercesión

¿Qué es el don de intercesión?

Es la habilidad dada al creyente por el Espíritu Santo para orar largos períodos de tiempo y tener una gran pasión por la oración.

"30Busqué entre ellos un hombre que levantara una muralla y que se pusiera en la brecha delante de mí, a favor de la tierra, para que yo no la destruyera; pero no lo hallé". Ezequiel 22.30

"12Os saluda Epafras, el cual es uno de vosotros, siervo de Cristo. Él siempre ruega encarecidamente por vosotros en sus oraciones, para que estéis firmes, perfectos y completos en todo lo que Dios quiere". Colosenses 4.12

¿Cuál es el propósito del don de intercesión?

- Edificar una *protección espiritual* alrededor de la iglesia y de los familiares.

- *Pararse en la brecha,* entre Dios y los hombres, y así llevar a cabo la voluntad de Dios aquí en la tierra.

- *Dar a luz* cosas establecidas en la visión de la iglesia local y del cuerpo de Cristo.

- *Hacer guerra* contra el diablo y sus demonios, y de esta manera, destruir los planes del enemigo.

¿Cuáles son las evidencias que muestran los creyentes que tienen el don o el ministerio de intercesión?

- Oran por **largos períodos** de tiempo y disfrutan la oración.

  Ésta es una evidencia muy clara en un intercesor, que puede estar orando por muchas horas y no se queja, al contrario, disfruta la oración.

- Operan fuertemente en el don de discernimiento de espíritus.

  Los intercesores perciben, sienten, ven y oyen a menudo en el mundo espiritual. Esto es debido a que operan en el don de discernimiento de espíritus.

- Los intercesores se identifican con la carga y con el dolor de las personas.

  Cuando ellos están hablando con una persona, ellos pueden percibir rápidamente la carga del problema de esa persona, y de inmediato, comienzan a orar por el mismo.

- A menudo, obtienen respuestas a sus oraciones más que cualquier otro creyente promedio. Dios les contesta sus oraciones, aun cuando sean muy específicas. Los resultados son más poderosos que los de cualquier otro creyente.

- Constantemente, tienen una actitud de oración.

  No importa dónde estén y con quién estén, todo el tiempo están intercediendo. La palabra de Dios nos habla de orar sin cesar. Éste es el caso del intercesor: siempre tiene una actitud de oración.

- Operan en el don de compasión y amor.

  Ésta es una de las evidencias de un verdadero intercesor. Es decir, lo que hace a un intercesor sensible a la carga y al dolor de las personas, es que están llenos de amor y compasión.

- A menudo, reciben sensaciones o síntomas en su cuerpo físico que les advierten de un peligro. Hay muchos intercesores que experimentan los síntomas de la persona o de la situación por la cual están orando. Por ejemplo: dolor de cabeza, dolor en la espalda, vómitos, mareos y otros. Principalmente, esto le ocurre a los intercesores de crisis.

- Los intercesores son muy sensibles al mundo espiritual.

  Algunos de ellos, si no tienen cuidado, se pueden inclinar a percibir más lo malo que lo bueno.

- Tienen una **pasión** profunda por la oración y la intercesión. La mentalidad de un intercesor es que todo se puede resolver con oración. Creen que nada es imposible para Dios.

- Los intercesores odian las **injusticias.**

  Cuando el intercesor ve una injusticia, su corazón se compadece.

Podemos estudiar más evidencias de lo que es un intercesor verdadero, pero creo que las características anteriormente mencionadas son las más comunes.

¿Cuáles son los **peligros que tienen las personas con el don** de intercesión si no lo operan correctamente?

- El creer que solamente ellos **oyen** de Dios, y que son la última autoridad de Dios aquí en la tierra.

- Creerse **superior** a otros espiritualmente porque oran más tiempo.

- Una tendencia a percibir, ver y sentir más lo **malo** que lo **bueno.**

- Querer **manipular** al pastor y a los líderes con sus oraciones.

- Hacer oraciones de **juicio** sobre las personas.

  Es importante que todo intercesor esté sometido a una cobertura espiritual, y que no inicie alguna asignación de oración sin contar con la bendición y la autoridad de su líder.

¿Cuáles son los diferentes tipos de intercesores que existen?

Así como en cualquier otro ministerio, existen diferentes clases de intercesores con un llamado dado por Dios para interceder en un área específica, dentro de los cuales podemos encontrar los siguientes:

❑ **Intercesores de almas**

Éstos son los que se paran en la brecha por las personas que no conocen al Señor. Gimen, lloran y sienten gran pasión por las almas. Muchas veces, cuando Dios los pone a orar, sienten como si estuvieran dando a luz un bebé. Su intercesión está dirigida hacia el perdido. Hay individuos que nunca serán salvos hasta que un intercesor se ponga en la brecha por ellos y los dé a luz en el espíritu por medio de la intercesión.

❑ **Intercesores de finanzas**

Los intercesores de finanzas han sido ungidos por Dios para interceder por las finanzas para el reino de Dios. Ellos oran por otros para que reciban fondos y puedan llevar el evangelio. Tienen gran fe para orar por dinero. Este tipo de intercesor ora para que las riquezas de este mundo pasen a los hijos de Dios.

❑ **Intercesores personales**

Éstos son los guardianes espirituales que Dios ha confiado para llevar información confidencial al trono de Dios, para protección, provisión y otras prioridades de oración por alguna persona o individuo. Algunos de estos intercesores reciben asignaciones de Dios para orar por una persona o individuo.

Cada creyente debe tener un intercesor personal.

❏ **Intercesores de crisis**

Los intercesores de crisis son los paramédicos de la oración. Ellos entran y salen del trono de Dios con peticiones urgentes, poniéndose en el lugar de otros. Además, actúan como vigilantes del pueblo de Dios. Anteriormente, hablamos de cómo muchas veces los intercesores reciben ciertos síntomas o sensaciones en su cuerpo, advirtiéndolos de un peligro, de una carga de oración o de algo que el Espíritu Santo les pone para orar. Cuando usted como intercesor de crisis reciba una carga por la cual orar, no la suelte hasta que logre un rompimiento en el espíritu. Esto es algo que muy pocos intercesores de crisis saben. Algunas veces, dejan la petición a medio orar y no logran un rompimiento. Algunos intercesores de crisis pueden te-ner cargas de oración y, a veces, les toma semanas, días y hasta meses, antes de lograr un rompimiento en el espíritu.

Hay una gran intercesora de este país, es una anciana de 77 años, que un día le preguntó al Señor: "¿Por qué, Señor, siempre me das cargas para orar especialmente por las crisis? El Señor le contestó: "Porque muchos de mis intercesores nuevos no saben cómo orar hasta lograr un rompimiento. Sin embargo, cuando te pongo una carga para orar, no la sueltas hasta lograr el rompimiento". Los intercesores de crisis tienen que aprender a interceder hasta que haya un rompimiento.

❏ **Intercesores de guerra**

Ellos son la fuerza militar poderosa de la oración. Ellos pelean por establecer la verdad de Dios en lugares donde Satanás tiene una fortaleza en las personas, problemas, naciones y lugares. Una evidencia de un intercesor de guerra, es hacer guerra espiritual desde que comienza a orar, o sea, todo el tiempo de oración. Poseen gran autoridad para reprender y echar fuera demonios.

❏ **Intercesores adoradores**

Ellos son los que interceden por medio de la adoración y la alabanza. Ellos son los que preparan el camino para que el poder de Dios se derrame sobre la tierra.

❏ **Intercesores de liderazgo**

Son aquellos que interceden por los líderes de la iglesia, tales como: el pastor, la familia y el resto del liderazgo del cuerpo de Cristo. Ellos están asignados por Dios para interceder por el liderazgo del cuerpo de Cristo.

❏ **Intercesores de gobierno**

Son aquellos que interceden por los líderes que están en el gobierno, en la política y en la esfera de influencia pública. Creo que cada intercesor debe orar por el Presidente y su gabinete todos los días; pero Dios también ha asignado intercesores que oran por este tipo de personas específicamente.

❑ **Intercesores proféticos**

Son los que ven el mundo invisible y los que oyen lo que no se oye a simple oído. Ellos son los que declaran la voluntad de Dios para un momento y un lugar específico; son la boca de Dios.

❑ **Intercesores por Israel**

Dios ha levantado un grupo de intercesores para que oren por su pueblo: Israel. Ellos tienen una profunda pasión por el pueblo de Israel, y se identifican con su dolor y sus necesidades.

Don de la música

¿Qué es el don de la música?

*E*s un don dado por el Espíritu Santo al creyente para alabar y adorar a Dios con instrumentos y cantos de una forma muy especial.

"41Con ellos estaban Hemán, Jedutún y los otros escogidos, designados por sus nombres, para glorificar a Jehová, porque es eterna su misericordia. 42Y con ellos, a Hemán y Jedutún, que tenían trompetas, címbalos y otros instrumentos de música para acompañar los cantos a Dios. Los hijos de Jedutún eran porteros". 1 Crónicas 16.41, 42

"12Estos hombres procedían con fidelidad en la obra. Los encargados de activar la obra eran Jahat y Abdías, levitas de los hijos de Merari, y Zacarías y Mesulam, de los hijos de Coat, y todos los levitas entendidos en instrumentos de música". 2 Crónicas 34.12

¿Cuál es el propósito del don de música?

Dar gloria y honra a Dios por medio de los instrumentos musicales y el cántico.

¿Cuáles son las evidencias que muestra un creyente que tiene el don de música?

❑ Su **pasión** está dirigida a todo lo que tenga que ver con la música.

□ El creyente con el don de música tiene un **oído especial** para entender, tocar y cantar en cualquier nota musical.

□ Su mayor deseo es **exaltar y glorificar** a Dios por medio del instrumento y el cántico.

□ El creyente con el don de música tiene la unción para **acercar el cuerpo de Cristo** al Señor en alabanza y adoración.

□ Tiene la habilidad de hacer **descender la presencia de Dios** sobre el pueblo.

□ El músico es muy **sensible** al mundo espiritual.

Algunos peligros que puede experimentar el creyente que opera en el don de música son:

• Tiende a buscar más las **cosas técnicas** de la música que las cosas espirituales.

Cada líder de alabanza le debe estar recordando a sus músicos y cantores, que antes de ser técnicos, deben ser espirituales, y después, deben implementar la parte técnica. No subir músicos al altar que tengan un gran talento, pero muy poco carácter.

Don de las artes

¿Qué es el don de las artes?

E s un don dado por el Espíritu Santo al creyente para usar las manos y la mente para bendecir al cuerpo por medio de formas artísticas creativas.

"¹Habló Jehová a Moisés y le dijo: ²«Mira, yo he llamado por su nombre a Bezaleel hijo de Uri hijo de Hur, de la tribu de Judá, ³y lo he llenado del espíritu de Dios, en sabiduría y en inteligencia, en ciencia y en todo arte, ⁴para inventar diseños, para trabajar en oro, en plata y en bronce, ⁵para labrar piedras y engastarlas, tallar madera y trabajar en toda clase de labor". Éxodo 31.1-5

¿Cuáles son las **evidencias** que muestran los creyentes que tienen el don de las artes?

- Las personas los buscan por sus **ideas creativas** para diferentes proyectos.

- Su habilidad artística encuentra valor y aplicación en la iglesia local.

- Sienten gozo y satisfacción al usar sus manos edificando y creando para la gloria de Dios.

- Tienen gran habilidad para realizar trabajos manuales.

Don de danza

¿Qué es el don de danza?

Es una habilidad dada por Dios al creyente para glorificar al Señor por medio de su cuerpo, danzando para el Señor.

"14David, vestido con un efod de lino, danzaba con todas sus fuerzas delante de Jehová". 2 Samuel 6.14

Don de celibato

¿Qué es el don de celibato?

Es un don dado por el Espíritu Santo al creyente de permanecer soltero y disfrutarlo. Esto es, sin casarse y sin sufrir tentaciones sexuales indebidas.

"7Quisiera más bien que todos los hombres fueran como yo; pero cada uno tiene su propio don de Dios, uno a la verdad de un modo, y otro de otro. 8Digo, pues, a los solteros y a las viudas, que bueno les sería quedarse como yo..." 1 Corintios 7.7, 8

Hay muy pocas personas que tienen este don, y cuando lo tienen, es porque ha venido directamente y por mandato de Dios.

Don de pobreza voluntaria

¿Qué es el don de pobreza voluntaria?

Es el don dado por el Espíritu Santo al creyente para renunciar a la comodidad material y a los lujos. En este don, se adopta un estilo de vida per-sonal equivalente a esos que viven en el nivel de pobreza para poder servir a Cristo.

"9Ya conocéis la gracia de nuestro Señor Jesucristo, que por amor a vosotros se hizo pobre siendo rico, para que vosotros con su pobreza fuerais enriquecidos". 2 Corintios 8.9

"34Así que no había entre ellos ningún necesitado, porque todos los que poseían heredades o casas, las vendían, y traían el producto de lo vendido". Hechos 4.34

Don de mártir

¿Qué es el don de mártir?

Es un don dado por Dios al creyente para pasar sufrimientos por la fe, y aun la muerte, con una actitud gozosa y victoriosa que trae gloria a Dios. Esteban fue un mártir en la iglesia cristiana primitiva.

"[60]Y puesto de rodillas, clamó a gran voz: «Señor, no les tomes en cuenta este pecado». Habiendo dicho esto, durmió". Hechos 7.60

Podemos recalcar nuevamente que a muy pocos creyentes se les ha sido dado el don de mártir. Sin embargo, creo que cada creyente debe estar preparado, si es posible, para morir por la causa del evangelio.

Don de liberación y de sanidad interior

¿Qué es el don de liberación?

*E*s un don dado por el Espíritu Santo al creyente para echar fuera demonios, liberar al pueblo de Dios de toda opresión y sanarle las heridas del alma.

"16Aconteció que mientras íbamos a la oración, nos salió al encuentro una muchacha que tenía espíritu de adivinación, la cual daba gran ganancia a sus amos, adivinando. 17Ésta, si-guiendo a Pablo y a nosotros, gritaba:—¡Estos hombres son siervos del Dios Altísimo! Ellos os anuncian el camino de salvación 18Esto lo hizo por muchos días, hasta que, desagra-dando a Pablo, se volvió él y dijo al espíritu:—Te mando en el nombre de Jesucristo que salgas de ella. Y salió en aquella misma hora". Hechos 16.16-18

"18El Espíritu del Señor está sobre mí, por cuanto me ha ungido para dar buenas nuevas a los pobres; me ha enviado a sanar a los quebrantados de corazón, a pregonar libertad a los cautivos y vista a los ciegos, a poner en libertad a los oprimidos". Lucas 4.18

El mayor gozo de los creyentes que tienen el don de liberación y sanidad interior es ver al pueblo del Señor ser libre de ataduras y de heridas emocionales. Es de hacer notar, que todos los creyentes tienen la autoridad para echar fuera demonios, pero esto no significa que tiene el don de liberación.

¿Cuáles son las evidencias que muestran los creyentes que tienen el don de liberación?

❏ Tienen una gran pasión por hacer que el pueblo de Dios sea liberado de la opresión del enemigo. Su mayor anhelo es ver a cada creyente libre de maldiciones generacionales, depresión, culpabilidad, rechazo, falta de perdón, ataduras, entre otros.

❏ Cuando ora por las personas, obtiene liberaciones radicales.

Después de haber orado por una persona, los cambios en ella son positivos, inmediatos y radicales. Esto ocurre por la fuerte unción de liberación que opera en sus vidas.

❏ El liberador tiene gran autoridad y atrevimiento para echar fuera demonios.

Usted nunca va a ver a un verdadero liberador ministrando a una persona con temor; al contrario, cuando un demonio se manifiesta, enseguida lo echa fuera y hace guerra contra él.

❏ Adonde quiera que vaya la persona con el don de liberación, los demonios se van a manifestar porque éstos sienten la unción que hay sobre él o ella.

Por ejemplo, en el caso del hermano Anacondia, algunas veces él está en un restaurante, le da la mano al mesero e inmediatamente los espíritus se manifies-tan aun en público. Cuando un creyente con el don de liberación llega a un lugar, los demonios se alborotan en las personas, porque saben que hay alguien en el mismo lugar que tiene la autoridad sobre ellos para echarlos fuera.

- El liberador atrae a sí mismo personas heridas y quebrantadas.

  Muchas personas se le acercan buscando ayuda, aun sin estarlas buscando, y eso es por causa de la unción que está sobre el liberador.

- Opera fuertemente en el don de discernimiento de espíritus.

  Algunas veces, Dios le hace sentir, ver u oír en el mundo espiritual y le muestra cuál es el hombre fuerte (el espíritu demoníaco que predomina).

- El liberador opera también en el don de misericordia.

  La única manera de poder fluir en el poder y la autoridad de Dios, es por medio de la compasión. El liberador siente el dolor, la tristeza, el luto y la opresión de las personas que va a ministrar. No puede resistir ver una persona herida y oprimida por el enemigo.

- Los liberadores son guerreros por naturaleza.

Algunas correcciones o peligros para los creyentes que operan en el don de la liberación son:

- Si viven en pecado, le abren la puerta al enemigo para que tome venganza en contra de ellos.

- Las fatalidades de la guerra espiritual ocurren cuando muchas personas se ponen a ministrar liberación y ellos mismos están viviendo en pecado. Cuando se hace guerra espiritual de forma irresponsable, esto trae como resultado ataques de venganza del enemigo.

- Creer que todo lo malo que le sucede a una persona es provocado por demonios.

- Hay muchas cosas que son provocadas por el diablo y sus demonios, pero hay otras cosas que son resultado de nuestra desobediencia a la palabra de Dios, y el enemigo no tiene nada que ver al respecto.

- Un liberador no puede estar viendo demonios en todo lugar y en todo momento.

- No se le puede ordenar a un demonio salir más de tres veces, porque si no, le da a entender que usted no conoce su autoridad en Cristo Jesús.

Don del misionero

¿Qué es el don de misionero?

*E*s un don dado por el Espíritu Santo al creyente para ministrar el evangelio en otras culturas, más allá de la suya propia.

"⁴Pero los que fueron esparcidos iban por todas partes anunciando el evangelio". Hechos 8.4

"²¹Pero me dijo: "Ve, porque yo te enviaré lejos, a los gentiles". Hechos 22.21

En la palabra de Dios, el don de misionero no es descrito específicamente como tal, pero sí lo podemos ver operando en diferentes hombres y mujeres de la Palabra.

¿Qué no es el don de misionero?

- No es el mismo don del apóstol.

  Aunque en la Escritura vemos a muchos apóstoles con el don de misionero, esto no significa que todos los misioneros sean apóstoles.

- No es el mismo don de evangelista.

  Hay muchas personas que confunden el don de evangelista y el don de misionero; y hay muchos evangelistas que son monoculturales y no tienen el don de misionero.

¿Cuáles son las evidencias que muestra un creyente que tiene el don de misionero?

□ Un (a) misionero (a) es alguien que está comprometido a evangelizar primero su vecindario, antes de ir a otros lugares. Una persona con el don de misionero evangeliza dondequiera que esté (en el vecindario, en el trabajo, en todo lugar), siempre lleva el evangelio de Cristo.

□ Tiene gran resistencia a cualquier tipo de ambiente, circunstancia y sufrimiento. Una de las características de un misionero, es que es fuerte en su corazón para pelear, gozarse y pasar por sufrimientos de cualquier clase, soportándolos con gozo, alegría y sin quejarse.

□ El creyente con el don de misionero se adapta fácilmente a cualquier cultura y costumbre. Donde quiera que vaya, se adapta al lenguaje, a la comida, a la forma de vivir y así sucesivamente.

□ La pasión principal de la persona que tiene el don de misionero es llevar el evangelio a todo el mundo. El gran deseo y anhelo de un misionero es ver a que las personas se entreguen a Cristo; busca las almas y las discipula para que permanezcan.

□ El don de misionero requiere un alto grado de capacitación, adiestramiento y compromiso con Dios. Para lidiar con personas de diferentes culturas, se necesita tener un llamado genuino de parte de Dios, y una cobertura espiritual que cumpla la función de cubrirlos y enviarlos.

¿Cómo descubrir su don espiritual?

- **Explore las posibilidades.**

  Busque los medios que le ayudarán a identificar cuál es su don, y después, investigue la definición y las evidencias que tiene ese don para que pueda ejercerlo adecuadamente.

- **Experimente con varios dones.**

  Hágase preguntas, tales como:

  ¿Tendré yo ese don? ¿Qué tan a menudo soy usado en ese don? Cuando me ejército en ese don, ¿cuáles son los resultados? Cuando estoy ejerciendo ese don, ¿me siento feliz o me siento frustrado? ¿He tenido pasión por eso toda mi vida? ¿Será mi don o no?

  Comience a experimentar involucrándose en la iglesia local y sirviendo en lo que cree que es su don.

- **Examine sus sentimientos.**

  ¿Qué es lo que más le gusta a usted? ¿Cómo se siente usted cuando está ejercitando su don?

  Hágase preguntas, tales como: ¿Tengo paz y gozo cuando hago esto? ¿Este don va de acuerdo a mi personalidad o temperamento? ¿Me gustaría hacer esto toda mi vida? ¿Es esto lo que más me llena, y si hago otra cosa diferente, me sentiría solo y vacío?

- **Evalúe su efectividad.**

Hágase preguntas acerca de cuáles son los resultados después de experimentar un don, por ejemplo: ¿Son más los resultados positivos que los negativos? ¿Qué tan frecuentemente Dios me usa en ese don?

Confirmación de Dios, la cobertura y el pueblo.

Cuando usted genuinamente tiene un don, Dios siempre lo va a respaldar con unción. La cobertura, que es su mentor o pastor, lo va a reconocer y, además, el pueblo lo buscará y lo confirmará, porque se dará cuenta que usted tiene el don.

"Aquello que más lo enfurece es aquello a lo que usted está llamado a resolver".

*A*hora mismo, donde usted está puede recibir el regalo de la vida eterna a través de Jesucristo. Por favor, acompáñeme en esta oración, y repita en voz alta.

"Señor Jesucristo: Yo reconozco que soy un pecador, y que mi pecado me separa de ti. Yo me arrepiento de todos mis pecados, y voluntariamente, confieso a Jesús como mi Señor y Salvador, y creo que Él murió por mis pecados. Yo creo, con todo mi corazón, que Dios el Padre lo resucitó de los muertos. Jesús, te pido que entres a mi corazón y cambies mi vida. Renuncio a todo pacto con el enemigo; si yo muero, al abrir mis ojos, sé que estaré en tus brazos. ¡Amén!

Si esta oración expresa el deseo sincero de su corazón, observe lo que Jesús dice acerca de la decisión que acaba de tomar:

"⁹Si confiesas con tu boca que Jesús es el Señor y crees en tu corazón que Dios lo levantó de entre los muertos, serás salvo, ¹⁰porque con el corazón se cree para justicia, pero con la boca se confiesa para salvación". Romanos 10.9, 10

"⁴⁷De cierto, de cierto os digo: El que cree en mí tiene vida eterna". Juan 6.47

Conclusión

*P*odemos decir, que usted no está aquí por accidente, sino que fue creado, al igual que todos los seres humanos, con un propósito específico y para cumplir un plan específico; y es su responsabilidad descubrir y desarrollar ese plan para el cual Dios lo diseñó. Recuerde que la mayor satisfacción personal se obtiene cuando se disfruta plenamente de lo que se hace. Por lo que podemos afirmar, que descubrir nuestro potencial y desarrollarlo al máximo es trascendental si queremos dejar un legado aquí en la tierra y disfrutar de gozo inmenso durante los días de nuestra peregrinación. Así que, cuando llegue el tiempo de nuestra partida, al final del camino, podremos afirmar confiadamente como lo hizo el apóstol Pablo:

"⁷He peleado la buena batalla, he acabado la carrera, he guardado la fe. Por lo demás me está guardada la corona de justicia, la cual me dará el Señor, juez justo, en aquel día..." 2 Timoteo 4.7, 8

Bibliografía

Biblia de Estudio Arco Iris. Versión Reina-Valera, Revisión 1960, Texto bíblico copyright© 1960, Sociedades Bíblicas en América Latina, Nashville, Tennessee, ISBN: 1-55819-555-6.

Biblia Plenitud. 1960 Reina-Valera Revisión, ISBN: 089922279X, Editorial Caribe, Miami, Florida.

Diccionario Español a Inglés, Inglés a Español. Editorial Larousse S.A., impreso en Dinamarca, Núm. 81, México, ISBN: 2-03-420200-7, ISBN: 70-607-371-X, 1993.

El Pequeño Larousse Ilustrado. 2002 Spes Editorial, S.L. Barcelona; Ediciones Larousse, S.A. de C.V. México, D.F., ISBN: 970-22-0020-2.

Expanded Edition the Amplified Bible. Zondervan Bible Publishers. ISBN: 0-31095168-2, 1987 – lockman foundation USA.

Reina-Valera 1995 - Edición de Estudio, (Estados Unidos de América: Sociedades Bíblicas Unidas) 1998.

Strong James, LL.D, S.T.D., *Concordancia Strong Exhaustiva de la Biblia*, Editorial Caribe, Inc., Thomas Nelson, Inc., Publishers, Nashville, TN - Miami, FL, EE.UU., 2002. ISBN: 0-89922-382-6.

The New American Standard Version. Zordervan Publishing Company, ISBN: 0310903335, pages 255-266.

The Tormont Webster's Illustrated Encyclopedic Dictionary. ©1990 Tormont Publications. Pages 255-266.

Vine, W.E. *Diccionario Expositivo de las Palabras del Antiguo Testamento y Nuevo Testamento.* Editorial Caribe, Inc./División Thomas Nelson, Inc., Nashville, TN, ISBN: 0-89922-495-4, 1999.

Ward, Lock A. *Nuevo Diccionario de la Biblia.* Editorial Unilit: Miami, Florida, ISBN: 0-7899-0217-6, 1999.

NUESTRA VISIÓN

PUBLICATIONS

Alimentar espiritualmente al pueblo de Dios por medio de las enseñanzas, libros y predicaciones; y además, expandir la palabra de Dios a todos los confines de la tierra.

LÍDERES QUE CONQUISTAN

Guillermo Maldonado
ISBN: 1-59272-023-4

DESCUBRA SU PROPÓSITO Y SU LLAMADO EN DIOS

Guillermo Maldonado
ISBN: 1-59272-019-6

EL PERDÓN

Guillermo Maldonado
ISBN: 188392717-X

LA FAMILIA FELIZ

Guillermo Maldonado
ISBN: 1-59272-024-2

EVANGELISMO SOBRENATURAL

Guillermo Maldonado
ISBN: 159272013-7

FUNDAMENTOS BÍBLICOS PARA UN NUEVO CREYENTE

Guillermo Maldonado
ISBN: 1-59272-005-6

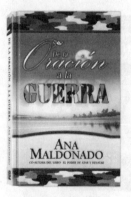

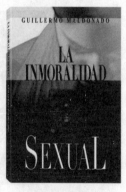

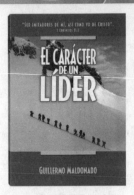

EL CARÁCTER DE UN LÍDER

Guillermo Maldonado
ISBN: 1-59272-120-6

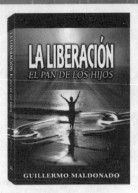

**LA LIBERACIÓN
EL PAN DE LOS HIJOS**

Guillermo Maldonado
ISBN: 1-59272-086-2

LA TOALLA DEL SERVICIO

Guillermo Maldonado
ISBN: 1-59272-100-1

**ORACIÓN DE GUERRA
EN LOS SALMOS**

LIDIA ZAPICO
ISBN: 1-59272-096-X

**EL MURO
DE LOS LAMENTOS**

RONY CHAVES
ISBN: 1-59272-035-8

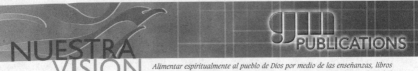